La lucidez de la locura

Relatos clínicos

Ana María Jurado

Ana María Jurado

LA LUCIDEZ
DE LA LOCURA
RELATOS CLÍNICOS

La lucidez de la locura
Relatos clínicos
Ana María Jurado

© Ana María Jurado
© Esta edición F&G Editores
Ilustración de portada: Shutterstock, portafolio Hitdelight
Diseño de portada: F&G Editores

Impreso en Guatemala
Printed in Guatemala

F&G Editores
31 avenida "C" 5-54 zona 7,
Colonia Centro América
Guatemala
Telefax: (502) 2439 8358 – 5406 0909
informacion@fygeditores.com
www.fygeditores.com

ISBN: 978-9929-552-93-7

Guatemala, noviembre de 2014

A Alfredo, Ana Mercedes y Horacio
Por ser.

A Sarita, Rosalía, Lucrecia y Lourdes
Por todos los caminos andados
y todos los acompañamientos.

*Sólo un novelista o un poeta podría
hacer justicia a las profundas luchas
que se nos permiten observar desde
dentro del propio mundo de la
realidad del paciente.*
Carl R. Rogers

PREFACIO

Este libro ha sido un reto para mí. Lo concebí hace algunos años, pero tardé bastante en darle la forma apropiada. Necesité madurar como escritora de ficción para poder transformar lo que hago a diario, desde hace casi 40 años, en un relato totalmente ficcionado. Quien lo lea encontrará la descripción de situaciones que se dan en el ámbito de la clínica psicológica, pero que no corresponden a ninguna persona en particular. Cada relato conserva la esencia de la práctica clínica. Sin embargo, todo el contenido es absoluta ficción. De modo que no pretenda el lector relacionar estos relatos con personas, circunstancias y lugares de la vida real. El anonimato en la práctica clínica es un requisito ético ineludible.

El motivo para escribirlo es, en primer lugar, literario, y en segundo, el hecho de poder plasmar algunas pinceladas del trabajo que ha sido la razón de mi vida durante muchos años. He querido volver literatura la psicoterapia, que es un arte también. Durante el ejercicio de mi profesión he conocido a muchas personas; sus vidas me han sido confiadas y ahí están fundidas en la nebulosa de la memoria. Al escribir cada relato se ha hecho evidente lo que siempre he sabido: que los problemas humanos son universales y que no importa la condición de cada uno, igualmente sufrimos, lloramos, nos enredamos y siempre, siempre buscamos la felicidad. La lucha por sobrevivir en el mundo de las relaciones personales y en el mar de los afectos provoca malestares y anhelos, y son estos los que llegan a la consulta psicológica en boca de personas sufrientes.

Este libro, como todos, nace de la necesidad de decir. Sin embargo, al intentar decir me preocupaba a qué género pertenecería; era un cavilar acerca de la ética, de la creación literaria, de la teoría psicológica. Me dejé llevar y permití que fluyera, que los relatos imaginados se trenzaran con los hechos de mi vida y con los conocimientos apiñados en mis neuronas. Lo que salió no sé a qué género pertenece y no importa ya. Es una irreverencia que me tendrán que perdonar la Literatura y la Psicología.

El libro está dirigido a un público amplio de lectores, porque no constituye un tratado de la ciencia psicológica ni de la psicoterapia; está compuesto de relatos anecdóticos que quizá entretengan o quizá hagan reflexionar. Es mi deseo que, como todo relato literario, los entretenga. Y sí, así es: la vida de los otros entretiene y hace olvidar la propia.

Agradezco a quienes siempre han impulsado mi trabajo: mis hijos amados, mis colegas y mis amigos y amigas. Pero tampoco puedo dejar de agradecer a las miles de personas que me han abierto su corazón y me han permitido que lo toque.

1
UNA SESIÓN SIN HABLA

A través de mí fluye la existencia
Lo real
La fluidez se prolonga.
Me integro
Irma Flaquer

Nos encontrábamos en la clínica de psicología de una unidad institucional. El rumor de gente esperando en los pasillos se escuchaba en esa oficina que yo pretendía que se convirtiera en un oasis. Deseaba que el silencio y la aceptación incondicional fuera la tarjeta de bienvenida para quienes llegaran en busca de ayuda.

Cuando empecé a trabajar en esa institución, me hice cargo de una clínica de psicología recién abierta, lo que constituía un avance para nuestra profesión. En esa unidad se atendía a pacientes con múltiples quejas y dolencias, pero no contaba hasta entonces con una clínica psicológica. Estábamos en la década de los años ochenta. A las ocho de la mañana de ese día recibí la visita de la psiquiatra de enlace. Éste era el nombre del puesto de la profesional que no solamente serviría de vínculo entre una unidad más grande de atención psiquiátrica y psicológica, sino que también supervisaría mi trabajo, entendiéndose por esto la asistencia al profesional que es tan apreciada en esta solitaria labor. Después de ver a varios pacientes le tocó el turno a B, una mujer de 40 años, de regular complexión física, morena y de pelo rizado. Después de saludarla, presentarme y presentarle a la psiquiatra, le pregunté en qué podía servirle, la pregunta obligada que nos proporciona el motivo de consulta. Ella me miró brevemente y luego de bajar la vista, empezó a estrujarse las manos. No pronunció palabra. Luego de algunos minutos volví a formularle la pregunta, pero igualmente no obtuve respuesta. Mi colega y yo nos veíamos, pero nuestras miradas decían que estábamos de acuerdo en permanecer calladas. Fue un tiempo invaluable en el cual tuve la oportunidad de observar a la mujer que permanecía con la vista baja y continuaba estrujándose los dedos.

Pude haber hecho una serie de conjeturas sobre esa persona que estaba sentada frente a nosotras, pero lo más probable es que no acertara, porque las hipótesis podrían haber sido muy variadas, y además, le habría puesto un calificativo erróneo o apresurado, como mutismo selectivo, trastorno de la personalidad no especificado, trastorno depresivo u otro por el estilo. Para ese entonces mis conocimientos del trauma eran igual a ninguno, porque si bien había leído algo unos años antes, no había llegado a entender lo que para Freud significó "trauma". De todas maneras él había dejado esa línea de trabajo para concentrarse en la creación de todo el andamiaje que luego fue el psicoanálisis.

Pero no nos perdamos en honduras. El tiempo destinado para la atención de B, unos cuarenta minutos, estaba por concluir. Le dije que su tiempo iba a terminar en unos minutos y que si quería hablar de algo, ese era el momento para hacerlo. Ella negó con la cabeza. Llegada la hora, le dije que la esperaba la próxima vez y me despedí, sin hacer más comentarios.

Debo decir que ahora, cuando miro al pasado, pienso que el o la psicoterapeuta actúa muchas veces dejándose llevar por su intuición, porque en esa ocasión yo hubiera podido decir: "Usted tiene derecho a permanecer callada, hablará cuando quiera" o algo por el estilo, pero no lo consideré necesario, opté por quedarme callada. Confieso que dentro de mí quedó la inquietud respecto a si la paciente volvería o no. Sin embargo, al día de la siguiente cita se presentó puntualmente y empezó a hablar, primero con palabras entrecortadas, y luego con más fluidez. El contenido de su relato versaba sobre las dificultades que tenía con su madre y con su pequeña hija: no se ponían de acuerdo respecto a los métodos de crianza, y ella manifestaba su frustración al referirse a sí misma como una mala madre. El contenido de su pensamiento era concreto. Sin embargo, al inquirir por su estado de ánimo y leer su lenguaje corporal me di cuenta de que, efectivamente, B estaba deprimida. No obstante, era una depresión que no le impedía trabajar como secretaria en una oficina gubernamental.

B era una mujer tímida, callada, que a veces volvía a su postura inicial de estrujar sus dedos y bajar la vista, sobre todo cuando tocábamos algún tema que para ella resultaba especialmente sensible. A medida que transcurrían las sesiones, fue desplegando una historia de por sí interesante: era la tercera hija de cuatro y tenía tres hermanos varones; se había criado en extrema pobreza. Su padre la abandonó cuando era muy niña y su madre trabajaba como lavandera al mismo tiempo que criaba a sus otros hijos, producto de dos relaciones diferentes. Su padrastro, el último compañero de vida de su mamá, visitaba la casa y un día se quedó a vivir con ellos. Cuando tenía seis años de edad, ese hombre empezó a tocarla por las noches. Esto la perturbó muchísimo, pero se calló por temor a que su madre se enojara, porque "ese señor", como ella le decía, golpeaba a su mamá. Para entonces se volvió más callada y era objeto de maltrato por parte de la madre y de los hermanos mayores quienes, un tiempo después, empezaron a llevar a sus amigos, y todos organizaban con ella juegos que pronto se volvieron un verdadero abuso sexual, como cuando sacaban cartas de un naipe con fotografías pornográficas y reproducían la foto con ella.

Para llegar a estas partes del relato, tuvieron que pasar por lo menos unas 20 sesiones. B narraba algún recuerdo y luego pasaban semanas sin volver hablar de ello. Los recuerdos iban emergiendo de a poco. Su cuerpo se estremecía cuando recordaba cómo, por las noches, envolvía sus piernas en papel periódico para que hiciera ruido cuando el señor la tocaba y así su madre se despertara, o cuando ponía dos muñecos de peluche que le habían regalado para que la cuidaran. Ninguno de los dos artificios funcionó. Después de confesar algún secreto callaba y bajaba la vista, largos silencios...

Mientras tanto, la hipótesis de trabajo era que su depresión respondía principalmente a los constantes pleitos entre su madre y ella por la crianza de su hija. Un elemento importante que consideré fue que su padre no se había ocupado de ella, como tampoco el padre de su hija, quien se había alejado desde hacía un tiempo. Para entonces se decía que el abuso sexual en la infancia era algo desafortunado que pasaba y que había que dejarlo allí, en el pasado.

Su sintomatología era muy sugestiva y yo manejaba con bastante propiedad la hipótesis de rasgos de personalidad dependiente. Ella relataba sus dificultades para organizarse como madre, como ama de casa, como hija y como una persona normal en los círculos sociales. Llamaba poderosamente la atención que era muy buena en su trabajo y que sus jefes le tenían estima, además de confiarle tareas delicadas que requerían de confidencialidad y de una actitud madura. Este último hecho parecía no darle mayor satisfacción. Sus relatos más bien se centraban en su incapacidad para decidir, por ejemplo, si llevaba a su hija al doctor o no, qué ropa se pondría, y más aún, en su dificultad para tomar la decisión de cómo realizar el trabajo de la casa cuando su madre se lo encomendaba.

Como relaté anteriormente, la teoría del trauma y el conocimiento de las secuelas del abuso sexual me eran ajenos. Si este caso lo estudiara a través de mis conocimientos actuales, podría interpretar fácilmente que su estado de ánimo correspondía a una disforia afectiva del trauma complejo, así como su dificultad para funcionar cotidianamente, en la vida de relaciones afectivas y en la vida sexual. Sus temores constantes y diversos, la ansiedad y el estado de ánimo bajo completaban la diversidad de síntomas que B presentaba.

El trauma derivado del abuso sexual en la infancia es entendido actualmente como Trauma Complejo y se caracteriza porque abarca un gran número de síntomas en diferentes esferas de la vida psíquica. Cuando entendemos a una persona a la luz de esta concepción, el abordaje puede ser más preciso, pero igualmente complejo. La dificultad para realizar cambios, la incidencia del estado afectivo bajo, muchas veces con ideas e intentos de suicidio; la dificultad para el control de las emociones o para desenvolverse de forma adaptativa en diferentes contextos, dificulta de manera severa el funcionamiento.

B tuvo un proceso psicoterapéutico largo y fue necesario recurrir a medicamentos por algunos períodos. La psicoterapia funcionó bajo un modelo integrativo con énfasis en el modelo centrado en la persona, no directivo, en el que la aceptación incondicional fue sanando las heridas de la infancia. Para mí, es paradigmática la primera sesión, pues marcó el ritmo del proceso total. El hecho de respetar que ella no quiso hablar en esa sesión le proporcionó a B la experiencia única de ser aceptada sin importar cómo se comportara. Esa primera sesión estuvo libre de crítica y de apuro. Solamente, escuchamos y respetamos. Ahí estuvo la clave.

Su funcionamiento general mejoró. B es de las pacientes que, de una forma u otra, requieren acompañamiento psicológico en períodos de estrés. Así sucedió: buscaba ayuda cuando la requería, aún muchos años después de haber dado por terminado su proceso terapéutico. Su estado de ánimo mejoró, continuó trabajando y logró valorarse en esta área de su vida. Trabajó bastante en adquirir confianza para tomar decisiones. Quizá esta fue el área más difícil. Los daños del abuso sexual en la infancia son incalculables, y para los terapeutas constituye un reto y una fuente inagotable de conocimiento

2
Ella me salvó la vida

*En pleno invierno descubrí que
abrigaba en mi interior un verano
invencible.*
Albert Camus

Cuando vi a E entrar a la oficina, me di cuenta de su dificultad para caminar. Cojeaba. Pero además, su rostro moreno reflejaba sufrimiento y cansancio.

Se sentó frente a mí y empezó contándome que durante años había sufrido a causa de una malformación congénita de su cadera; había sido sometido a varias operaciones desde que era muy niño y ahora no estaba dispuesto a operarse una vez más, como le sugerían los médicos. Vino entonces un silencio durante el cual permaneció con la vista baja. Algunas gotas de sudor se hicieron visibles en su cara.

—Ya no quiero vivir —me dijo. Y luego se quedó otra vez en silencio.

Era originario del interior del país, había nacido y crecido en un municipio del occidente y llevaba tres años trabajando y viviendo en la capital. Tenía 30 años y, según relataba, su vida había sido una sucesión de hechos desagradables. Era hijo único y perdió a su padre cuando apenas tenía cuatro años. Su madre luchó sola, como viuda de la guerra y se esforzó por darle lo mejor dentro de sus posibilidades. Como ya lo había dicho al inicio de la entrevista, había nacido con una malformación congénita en la cadera, por lo que tuvo que ser operado en varias ocasiones. Recordaba con pesar la soledad en el hospital y las largas horas de terapia física, y el dolor lo había acompañado por largos años. Pero realmente no era eso lo que le afectaba. Después de varias sesiones, compartió conmigo su profundo sufrimiento, causado por la burla de sus compañeros de escuela y de sus maestros. Él siempre se sintió diferente y marginado; guardaba recuerdos vívidos de sus compañeros caminando detrás de él, remedando su manera de andar. Era el objeto de sus burlas. Esta estampa mnémica aparecía en su mente con frecuencia y matizaba su vida de aislamiento. La idea de morirse se le había metido en la cabeza, sin dejar espacio para nada más.

Fue un estudiante con un rendimiento normal, a pesar de sus ausencias por razones médicas. Se había graduado de perito contador y actualmente laboraba en la oficina de contabilidad de una empresa privada, cuyo dueño era amigo de su padrino. Le había costado mucho aceptar este trabajo, así como otros que había tenido anteriormente, porque siempre la ansiedad y el sentimiento de inadecuación prevalecían y aumentaban su tendencia a aislarse.

Buscó ayuda en el momento en que sus ideas de suicidio fueron más fuertes. Cuando llegó la primera vez en busca de ayuda, tenía ya un plan para acabar con su vida. El sentimiento de fracaso abarcaba otras esferas, como la de las relaciones afectivas, porque a la fecha no había logrado establecer una relación que incluyera el amor, la amistad y el apego. Visitaba prostíbulos ocasionalmente, lo que le producía sentimientos de culpa, porque, además, su educación familiar había estado enmarcada por los prejuicios de su religión.

La relación que se estableció conmigo nos llevó a implantar una alianza terapéutica rápidamente. Para la cuarta sesión estuve segura de que había adquirido confianza en mí y en la terapia. Respondiendo a la formación que en ese momento yo tenía, enfoqué la terapia en el modelo centrado en el cliente, como telón de fondo para crear un ambiente de aceptación incondicional. A partir de este modelo, podía interpretar la conducta bajo la lupa psicoanalítica y emplear técnicas derivadas de la perspectiva humanística, básicamente, Gestalt y análisis transaccional. Se trataba de un enfoque ecléctico, que más tarde tomó el nombre de enfoque integrativo. Estas herramientas me permitieron iniciar el camino con paso seguro, porque no sólo me facilitaron el entendimiento del cuadro depresivo, sino que me permitieron crear un clima de confianza y aceptación, esenciales para el cambio. Posteriormente pude introducir la terapia cognitivo conductual, que me facilitó la modificación de ideas irracionales que sostenían el cuadro depresivo. Tuvimos que hacer uso de medicamentos antidepresivos, porque es sabido que la psicoterapia combinada con psicofármacos da mejores resultados. Y en este caso, funcionó muy bien.

Durante el proceso revisamos algunos otros aspectos importantes, como la pérdida temprana de su padre, la relación con su madre y su particular tendencia a aislarse. Explorar otros asuntos le permitió un cambio de visión a E y, a su vez, ampliar su reducido mundo. Resultó que él era una persona verbal y con una notable facilidad para ver dentro de sí mismo con perspicacia. Esto, por supuesto, facilitó en gran medida la terapia. Al inicio, las descargas afectivas fueron frecuentes, pero a mi entender, no constituyeron la clave de la cura. Hubo sesiones de llanto callado, que desaguaban el dolor de toda una vida; fue beneficioso, pero no necesario. La abreacción por sí misma no es el elemento clave de la cura. Pudo haber llorado en la soledad de su cuarto, pero lo hizo frente a mí y lo acompañé en silencio. Hablaba y reflexionaba. Fue vaciando y quitando importancia a las circunstancias externas, para luego concentrarse en sí mismo y responsabilizarse de sus aciertos y desaciertos; un proceso doloroso, pero necesario.

El contrato de vida inicialmente establecido funcionó y sus ideas de muerte fueron desapareciendo.

Después de un año y medio dimos por concluida la terapia. E estaba libre de síntomas depresivos y tenía una actitud mucho más positiva hacia sí mismo y hacia la vida. Empezó a crear futuro mediante planes concretos, tanto personal como laboralmente. Al año siguiente recibí su visita. Llegó para contarme que había sido ascendido en su trabajo y que, además, había establecido una relación afectiva con una señora dos años mayor que él, madre soltera y con quien estaban haciendo planes para casarse. Después de unos meses recibí la invitación del matrimonio y, seis meses más tarde, vino nuevamente a visitarme. Ahora venía acompañado de su esposa, y al presentarnos, le dijo: "Ella es la persona que me salvó la vida". En ese momento sentí una honda emoción, pero procurando no traslucirla, le dije que su bienestar era producto del trabajo que él había hecho y que yo únicamente se lo había facilitado. Después de hablar de esto y de aquello se despidieron de mí. Los vi alejarse, él se apoyaba en el brazo de ella. Me pareció que cojeaba menos.

Resulta un tanto embarazoso para un terapeuta escuchar unas palabras como las que él pronunció. Su ego puede verse profundamente gratificado, pero yo creo que el profesional no puede atribuirse el éxito de un proceso terapéutico. Está documentado que son los factores extraterapéuticos los que contribuyen al éxito en mayor grado. El terapeuta tiene que hacer un esfuerzo para no sucumbir ante el halago.

Finalmente, hago énfasis en un aprendizaje más que tuve durante el proceso de E. Se refiere a algo plenamente establecido: las deficiencias físicas, malformaciones e incapacidades repercuten enormemente en la imagen personal y ésta, a su vez, en el respeto que siente la persona por sí misma y en su bienestar. A pesar de que E tuvo un hogar amparado por una madre nutritiva, su entorno social, especialmente el escolar, estuvo plagado de descalificación y de burla, que minaron su estima personal. E no se apreciaba a sí mismo y sus intentos e ideas suicidas respondían a una cólera redirigida contra él. Pero encontró un ambiente de aceptación, y pudo ser capaz de dar otra dirección a la hostilidad.

Hay acuerdo entre los investigadores en cuanto a la relación de la alianza terapéutica y los resultados de la terapia. La alianza terapéutica subraya la colaboración entre terapeuta y paciente por medio de tres componentes esenciales: tareas, objetivos y vínculos. El acuerdo en cuanto a estos tres aspectos facilita el curso y el éxito de la terapia. Ya lo dijo Carl Jung: "Conozca todas las teorías. Domine todas las técnicas, pero al tocar un alma humana, sea apenas otra alma humana".

3
TENGO SIDA

Después de cada guerra
alguien tiene que limpiar.
No se van a ordenar solas las cosas,
digo yo.
Wislawa Szymborska

Una tarde del mes de mayo recibí la llamada de
un médico conocido. Con preocupación me habló
de un paciente suyo, a quien quería que yo aten-
diera lo antes posible. Me dio una explicación
breve del caso y me dijo que temía por la vida de
su paciente.

Recibí a R lo más pronto que pude. Se trataba
de un hombre de 38 años, casado y con dos hijas,
una de ocho y otra de cuatro. Auditor de profesión, se encontraba sin poder trabajar desde hacía
un mes, debido a su estado emocional. Estaba
empleado en la oficina de su padre y me dijo que
no podía concentrarse y que había dejado de ir a
trabajar porque temía cometer errores; en mi

profesión eso es fatal, me dijo. Cada día se sentía con menos fuerzas y sentía que podría enloquecer. Rápidamente me contó que tenía la certeza, aunque no la evidencia, de tener sida. Sus preocupaciones comenzaron en el mes de diciembre, después de un evento que marcó su vida: había sido secuestrado y violado. Con dificultad me contó que después de un convivio con un grupo de amigos, se había adentrado en una zona roja de la ciudad. Estaba totalmente borracho y casi no recordaba lo que sucedió, pero sus amigos le dijeron que se habían despedido de él a las dos de la mañana y que cada quien tomó su camino. Aparentemente, R no se fue para su casa sino que se encaminó a otro bar. Al día siguiente, a eso de las 10 de la mañana, despertó en un terreno baldío en las afueras de la ciudad y con señales de haber sido violado.

Me dijo que no se atrevió a contarle todo a sus amigos, mucho menos a su esposa. Solamente les dijo que lo habían secuestrado y golpeado. No puso ninguna denuncia y trató de que no se hablara más del asunto. Únicamente lo sabía su médico, que era su amigo y ahora yo. A partir de ese día empezó a sentir sensaciones de ahogo, sudoración en las manos, dificultades para dormir y la preocupación constante de haber sido infectado con el virus del VIH. A los pocos días había decidido visitar al médico, quien inmediatamente le ordenó exámenes de laboratorio, que salieron negativos. Sin embargo, él no se quedó tranquilo y empezó a investigar por su cuenta, leyó todo lo que encontró sobre enfermedades de transmisión sexual e insistió con el médico para que le diera una certeza diagnóstica. Se hizo exámenes en diversos laboratorios. A pesar de la vergüenza que esto le producía, era más fuerte su temor a tener sida.

Sus miedos aumentaron en el último mes, porque los síntomas fueron cada vez más graves: había adelgazado 15 libras, comía muy poco y tenía una diarrea constante; esto aumentó su certeza de que estaba gravemente enfermo. No podía explicarse cómo era que los resultados de los exámenes salían negativos si él se sentía tan mal.

Su aspecto físico era realmente preocupante; tenía las señales de haber dormido poco y mal. Lucía delgado para su estatura y los signos de preocupación se traslucían en sus palabras y en sus ojos. Realicé una primera entrevista completa para enterarme de los aspectos relevantes de su vida y decidí intervenir en esa misma sesión.

Como el médico ya me había informado acerca del caso, decidí emplear una estrategia de hipnosis ericksoniana. Para esos días yo tenía entrenamiento en ese modelo de hipnosis y estaba verdaderamente convencida de la efectividad de las técnicas empleadas por Milton Erickson, el brillante psicólogo del siglo XX. Las opciones para trabajar la obsesión que aquejaba a R eran múltiples, pero yo decidí tomar el camino corto. Así que con mucha seguridad inicié un discurso más o menos en los siguientes términos:

Usted está convencido de que tiene sida porque está atendiendo a los síntomas de su cuerpo, y por supuesto, también está convencido de que irremediablemente va a morir, por lo que tendrá que prepararse mientras ese momento llega. Es un tiempo precioso el que le queda, y se tendrá que disponer a aprovecharlo de la mejor manera. Así que de mañana en adelante se levantará y hará una acción de las que más le gustan como primera actividad de la mañana; luego tomará un desayuno con los alimentos que prefiera; procurando que contengan sabores variados. Esta es una condición para los tres tiempos de comida. Después de haber desayunado, se sentará a solas, en un sillón cómodo, a pensar por quince minutos (reloj en mano) en lo mal que se encuentra y creará toda clase de fantasías acerca de lo que le espera. Una vez pasado el tiempo previsto, es decir, cuando suene la alarma de su reloj, se levantará y se dispondrá a realizar la tarea que más le gusta de su trabajo. La hará sin pensar mucho. No tenemos tiempo que perder. Recuerde que pronto llegará la hora del almuerzo y disfrutará los platos variados que su esposa se esmerará en prepararle. Por la tarde hará una siesta de 30 minutos, mientras llega la hora de ir por sus hijas al colegio; irá por ellas y al volver a casa pasará un poco de tiempo acompañándolas. Hay varias actividades que usted no debe dejar de hacer, y una de ellas es disfrutar al máximo de su relación con su esposa en los días que le quedan. Así que se esmerará en decirle palabras bonitas, le llevará flores, hará cosas que usted sabe que a ella la hacen feliz y, de ser posible, mientras le queden fuerzas, le hará el amor.

Le repetí este pequeño discurso, haciendo énfasis en cada tarea y le pedí que volviera en dos semanas. Él había tomado nota y se marchó aparentemente convencido de que cumpliría la tarea. Esa tarde recibí la llamada del médico que me lo había referido; quería saber cómo lo había encontrado. Le dije solamente que estaba segura de que su paciente iba a mejorar.

Dos semanas después, R se presentó a mi oficina. Su aspecto había cambiado notablemente, y comenzó relatándome que había sido para él muy difícil la tarea de sentarse a imaginar lo catastrófico de su enfermedad. Los primeros días había resultado un poco más viable, pero luego no conseguía imaginar situaciones negativas. Me comentó que había subido cinco libras de peso, que había invitado a su esposa a cenar y que ella se portó de una manera muy amable. Su vida sexual estaba empezando a resurgir.

Durante las siguientes semanas, R fue mejorando y pronto dimos por concluida la terapia. En la sesión de cierre, él mismo hizo el análisis del proceso terapéutico. Me dijo que al inicio había seguido mis instrucciones sin examinarlas mucho, pero que ahora le parecía que tenían lógica. En la mayoría de las, ocasiones este análisis no es necesario, pero en el caso de R, lo hice porque él necesitaba "poner las cosas en su lugar". Se trataba de una persona lógica, metódica y obsesiva, por lo que este paso resultaba necesario para él.

Aprendí hipnosis clínica tradicional casi inmediatamente después de salir de la universidad y durante años la empleé por algunos períodos, luego la dejaba de lado. No era precisamente muy profesional decir que una la practicaba. La hipnosis ha pasado por diferentes etapas, y en algunos tiempos ha tenido mucho prestigio, para luego caer en el olvido.

Al inicio de la década de los noventa del siglo XX, una amiga me sugirió leer *El hombre de febrero*, de Milton Erickson. Su lectura fue para mí una revelación, porque me impresionó la brillantez de sus intervenciones y su concepción de la hipnosis. Descubrí a un terapeuta excepcional y lo convertí en mi mentor a través de los libros que hablan de él y de la práctica en grupo de colegas. No podemos olvidar que es considerado el padre de la hipnosis moderna y que, basado en su modelo, Glinder y Blandler construyeron la programación neuro-lingüística. Así que con dos colegas profundizamos en la obra de Erickson y empezamos a emplear sus técnicas. Más tarde, en los inicios de la década de 2000, nos formamos mediante un diplomado en hipnosis ericksoniana.

El caso relatado es un ejemplo de un trance conversacional, en el cual las sugestiones van acompañadas de determinado tono de voz, firmeza y, a su vez, suavidad. Las palabras son seleccionadas estratégicamente para cada paciente en particular. Como se puede ver fácilmente, la respuesta es paradójica.

Probablemente lo que me hizo seleccionar esta técnica fue el hecho de que el paciente estaba convencido de tener sida y de que tenía defensas obsesivas. Es decir, es el tipo de personas que arman una serie de ideas que rumian y que van acompañadas de intensa ansiedad. Esta ansiedad se alimenta de sí misma porque es defensiva. La lógica no tenía cabida. Haber utilizado técnicas convencionales hubiera sido "más de lo mismo" y únicamente hubiera permitido que el paciente siguiera visitando diferentes terapeutas.

Milton Erickson se convirtió, desde que lo conocí a través de su obra, en un amigo fiel. A veces está en primer plano, y en otras ocasiones, sirve de telón de fondo, porque sus propuestas son todo un modelo de comunicación que potencia la forma de intervenir desde cualquier enfoque de psicoterapia. La hipnosis de Milton Erickson es una herramienta invaluable en la tarea de propiciar cambios.

Las sesiones posteriores que tuve con R discurrieron a cerca de su vida familiar y de pareja, de una serie de insatisfacciones que había acumulado, así como de su afán de ser una persona perfecta, esquema que suele ser propio de las personas obsesivas. Regularmente estas personas son devotas del trabajo y del deber, por lo que se permiten pocas satisfacciones personales. Su personalidad obsesiva había facilitado que se diera el cuadro "Tengo sida". La intervención central fue una prescripción del síntoma. Esta técnica es muy delicada y requiere pericia para aplicarla porque el síntoma se exacerba para luego, diluirse como la sal en el agua.

De manera bastante rápida, el cuadro estuvo muy lejos y R se dispuso a hacer cambios en la panorámica de su personalidad. Aprender a ver los colores de la vida en personas como R lleva

tiempo y mucha paciencia. R inició un proceso de
crecimiento, ya sin sus horribles pensamientos.

4
¡YA BASTA!

Es maravilloso
Oír el agua irse como si se quedara
Suspendida,
Dormida,
En el vientre dorado de la vida...
Isabel de los Ángeles Ruano

La mujer que tenía frente a mí parecía mucho más joven que su edad real. Venía trabajando con ella desde hacía algunos meses; se había adentrado en el proceso terapéutico de manera poco común. Estaba muy comprometida. Esa mañana pronunció con voz fuerte y segura: ¡Ya basta! Esa frase salió de sus entrañas, porque tenía la fuerza de un animal cuando, después de un largo cautiverio, por fin logra verse libre.

Se trataba de una mujer casada desde hacía unos 35 años con un hombre poco expresivo de sus afectos, aunque era un buen proveedor. Habían llevado un matrimonio de esos que puede llamarse bien avenidos; tuvieron tres hijos y tenían cuatro nietos. Cuando D buscó ayuda fue porque estaba saliendo de una profunda depresión, pero aún se sentía con muy poco ánimo; con tendencia al llanto, dificultad para dormir y una sensación de vacío y cansancio evidente. Me contó que estuvo un año prácticamente recluida en su cuarto, de donde salía solamente para hacerse cargo de sus necesidades básicas. No atendió al llamado de sus hijos y del esposo para buscar ayuda, pero ahora, que ya se sentía mejor, se decidió a buscarme.

Comenzamos a explorar su situación actual y dimos un buen vistazo a su desarrollo personal. Esta búsqueda le permitió a D darse cuenta de varios hechos importantes. Cuando aún era muy jovencita se puso de novia con el hombre que ahora era su esposo, por lo que haciendo las cuentas, llevaban 45 años juntos, 10 de novios y 35 de casados. Demasiada vida, me dijo. D terminó sus estudios secundarios pero él prefirió que ella no continuara estudiando, así que solamente trabajó un par de años en la empresa de su padre y luego se casó.

Su vida de casada transcurrió entre pañales, biberones, sartenes y floreros para poner en la casa. Aunque siempre tuvo dos empleadas, era costumbre que ella misma se encargara del cuidado de sus hijos y de mantener su residencia impecable. Su marido pronto terminó la universidad y se convirtió en un empresario de mucho éxito. Pasaba largas horas en la oficina y varios días en la finca, por lo que D se acostumbró a prolongadas horas de soledad. Durante el día, la algarabía de los niños llenaba el silencio, pero por las noches no había forma de llenar el recipiente de la soledad. Los meses y los años transcurrieron sin que faltara el viaje anual con la familia, y los acontecimientos familiares fueron celebrados como corresponde.

Cuando le pregunté acerca de su vida sexual, me respondió con una pregunta: ¿Cuál? Hacía mucho tiempo que el frío se había interpuesto entre ella y su marido y era acompañado por la indiferencia y la apatía.

Durante esos largos años hubo sucesos dolorosos, pérdidas necesarias, enfermedades de orden psicosomático y distancias. Ella vivió cada uno de esos eventos, como viendo una película. Cuando le pregunté si había violencia me respondió que no; a lo largo del proceso hubo unas cuantas palabras que empezaron a resonar en su cabeza, como "tonta", "inútil" y la más dolorosa: "incompetente". Su marido le decía "incompetente", sobre todo cuando se refería al deseo de ella de seguir estudiando o de poner un negocio.

Cuando D hablaba de ir a la universidad, un sueño que emergía de vez en cuando, su marido le decía que ella no tenía necesidad de estudiar, ni mucho menos de trabajar; que él era lo suficientemente hombre para cubrir las necesidades de la casa y que de todas formas ella no sería capaz de ser una profesional. Y volvía a pronunciar la palabra: "incompetente".

Un año antes de venir conmigo, D había descubierto que su marido tenía otra familia. Esto le causó mucho dolor y fue una de las causas por la que se quedó recluida durante muchos meses en su cuarto. El llanto y la tristeza la botaron en la cama. Cerró las cortinas y le pareció que su vida se le había acabado. Un día que amaneció con un poco de más fuerzas, decidió seguir adelante con su matrimonio, porque nuevamente pensó que era inútil para salir adelante sola en la vida; entonces le pidió a su hija la referencia para ir con alguien que pudiera ayudarla, y salió de su casa.

En esos días, cuando llegó conmigo, también asistía a un taller que organizaron unas antiguas compañeras de colegio y al que se dejó llevar como autómata. Se trataba de un taller de iniciación a la edad madura. Esta actividad prácticamente le movió el piso, porque al hacer un inventario de su vida se dio cuenta de que había transcurrido en medio de pálidos colores, y que si bien era cierto que sus hijos y sus nietos le proporcionaban alegría, había una gran olvidada: ella misma.

En la sesión que menciono al inicio, ese "ya basta", nacido del fondo de sí misma, representaba el comienzo de un cambio radical: "ya basta" de aceptar una vida pobre; "ya basta" de vacíos interiores; "ya basta" de ser invisible.

Cuando las mujeres arribamos a una edad madura, cuando pasamos los cincuenta, nos damos cuenta del tiempo transcurrido y de lo que nos queda de vida; entramos en una etapa de desasosiegos casi siempre acompañados de achaques y quejas somáticas Muchas veces la sorpresa de ver para atrás es grande y el vacío aún más. D empezó a experimentar una rabia pacífica, una de esas rabias calladas pero potentes, que son capaces de transformar el mundo, pero cuyo sonido es imperceptible. Por eso no la oímos, no la advertimos. Puede ser que en el camino la rabia busque chivos expiatorios, pero también se centra en una misma, porque hay una tendencia en la mujer a asumir las culpas del mundo y a disculpar a aquellos que de alguna forma se interpusieron en su autorrealización. La madurez que solamente dan los años es capaz de abrirnos ojos y oídos para interpretar lo vivido. Esta rabia, aunque no dura mucho tiempo, es necesaria porque durante años las mujeres hemos reprimido emociones –descontento e insatisfacción– de fuerza avasalladora.

Pero también es grande el asombro que experimentamos las mujeres al comprobar que del fondo de nosotras mismas surge de una energía nueva, que expresamos por medio de sensualidad, sexualidad, buen humor y compasión. Y empieza a caracterizar esta nueva etapa de su vida. La tercera edad nos convierte en mujeres sabias y compasivas, capaces de trascender el deterioro del cuerpo y de continuar la vida a un ritmo más pausado, pero no por eso menos intenso.

El descubrimiento que D hizo de sí misma, después de sentirse una mujer olvidada e invisible, fue tortuoso. Porque aceptar que se es portadora de una nueva energía da miedo. Ella dijo que temía desbordarse y que ya no estaba en edad para eso. Fueron meses de cavilaciones y de luchas internas. Cuando pronunció el "ya basta" era el inicio de otra etapa de su terapia. El ya basta era dirigido a sí misma, a su marido y a sus hijos.

Pero un día se dio cuenta de que también era un ya basta a las antiguas profesoras del colegio, a los brujos y brujas que le pedían a gritos que fuera una mujer "de carácter", es decir, virtuosa y ejemplar.

Por esos días D le planteó el divorcio a su marido, pero él no aceptó. Entonces ella decidió continuar con el matrimonio. Sin embargo, se dijo así misma que ahora él estaría casado con una mujer diferente.

¿Cuál era el diagnóstico? Efectivamente D había tenido una depresión clínica antes de llegar conmigo, pero ahora no llenaba los criterios para ese cuadro. ¿Se trataba de una codependencia? Este término me parece discutible, porque las mujeres desarrollamos una actitud dependiente y alienante que de ninguna manera es una patología, sino una actitud construida bajo el amparo del patriarcado. Porque no se requiere estar sufriendo violencia en alguna de sus formas para comportarnos sumisas y opacadas, sin que importe que seamos jóvenes o maduras. Es así como aprendimos a desfigurarnos, a apagarnos a fuerza de mensajes que desde pequeñas recibimos. Esta forma de ser en el mundo está bien descrita por el constructivismo social. Hombres y mujeres sufrimos por las posturas que nos asigna la sociedad patriarcal. Este era el caso de D, no se trataba de una mujer violentada físicamente, pero sí impedida en su crecimiento: anulada, invisibilizada, relegada a una situación de segundo orden. Y esta es otra forma de violencia. Pero insisto, no constituye una patología desde la mujer que la sufre.

Hay casos en los cuales los aspectos de la vida de la persona que nos consulta toca aristas de nuestra propia vida. Este caso, en particular, tocó fibras sensibles de mi ser mujer. En estos casos, como lo hice yo, se tiene que buscar supervisión y apoyo externo para mantener la objetividad: cercanía con la persona con la que trabajamos, pero distancia con su vida y sus decisiones. Es básico mantener la comunicación abierta, libre de la contaminación de mis propios criterios y valores. El "ya basta" de la terapeuta es diferente, en el tiempo, en el espacio y en el matiz del "ya basta" de la paciente. Cada una tiene su propio ya basta.

La mayoría de las historias de la vida de los pacientes rozan aspectos de la vida del terapeuta. Porque compartimos la humanidad. Al verlos afuera podríamos caer fácilmente en compartir nuestra visión personal del mundo y no es esa nuestra función. La técnica y el arte de la psicoterapia indican que es el propio consultante quien decide acerca de su propia vida y somos nosotros quien le ayudamos a encontrar su camino.

Al poco tiempo D dejó de venir a la terapia. Había encontrado nuevas aficiones. Estaba estudiando Historia en la universidad y se había involucrado en proyectos de desarrollo social. Tomó el liderazgo de un proyecto de desarrollo de vivienda en la finca familiar y unos años después la vi en la prensa cuando le dieron un reconocimiento por su labor. Continuó casada, pero tal como dijo, ella era diferente y su esposo tuvo que adaptarse a que ella tomara sus propias decisiones, opinara y accionara según sus criterios. La situación de la otra familia del marido fue muy difícil y, en mi opinión, no lo superó, pero sí aprendió a manejarlo, porque ella, según me dijo, no cifraba su valía en el actuar del marido sino en lo que ella era. Abrió una brecha profunda en ellos como pareja. Aparentemente él hizo esfuerzos por dedicarse a ella y alejarse de la otra familia. Él decía que la amaba y amaba a su familia y que no la dejaría. Era su forma de amar.

Por último, este caso y muchos otros que he atendido, me han convencido de la capacidad para el cambio que tienen las personas mayores. Cuando inicié mi carrera profesional sabía que el cambio era privilegio de los jóvenes. Ahora sé que no es así. Se termina de aprender cuando se deja de respirar.

5
UN DESEO INSATISFECHO

Oculta rosa palpitante
en el oscuro surco,
pozo de estremecida alegría
que incendia en un instante
el turbio curso de mi vida,
secreto siempre inviolado,
fecunda herida.

Alaíde Foppa

Después de unas diez sesiones, G, una mujer soltera de 58 años, de rostro avejentado y mirada triste, me confesó uno de sus secretos mayores: desde hacía varios años venía sufriendo de una sensación molesta en el área genital. Sentía que estaba mojada, pero no había una explicación médica ni lógica para lo que estaba sucediendo. Había consultado a un ginecólogo. Sin embargo, el médico no había encontrado nada anormal en el examen que le realizó. Hacía ya mucho tiempo, diez años, que había experimentado la menopausia, por lo que no podría tratarse de sangrado menstrual.

Para este tiempo, tenía ya bastante información de la paciente: sabía que era soltera y sin hijos; que su vida se había centrado en el trabajo y que actualmente estaba empleada en un almacén de ropa. El resto del tiempo lo dedicaba a cuidar a su madre enferma. Era la mayor de las cuatro hijas de un matrimonio integrado por el padre, muerto cuando G era adolescente, y de su mamá, que ahora tenía 80 años. Así que tenía pocas distracciones; más bien, no tenía, porque su único entretenimiento era ver la televisión. Veía programas en los canales extranjeros, pero únicamente cuando el oficio de la casa se lo permitía. Sus tres hermanas se dedicaban a sus respectivos hogares y estaban desentendidas de su madre, a quien solo visitaban de vez en cuando. Entendí que había sido designada por su madre para cuidarla, no era una decisión de ella. Recordé la película *Como agua para chocolate*, quise recomendársela, pero en el último momento no lo hice; quizá pensé que sería mucho para ella.

Dos sesiones después, G se mostró tranquila. Estábamos sentadas una frente a la otra y hablábamos de asuntos de su trabajo, cuando de repente se quedó callada con la mirada dirigida hacia el suelo. Fue entonces cuando empecé a hablar acerca de las humedades que sufrimos las mujeres; hablé de manera metafórica de la menstruación que marca un cambio en nuestras vidas y cuya "humedad" se repite cada mes. Para este momento, G había cerrado los ojos y se mostraba relajada, lo cual me decía que estaba en un nivel diferente de conciencia. Seguí relatándole las diversas maneras de sentirnos mojadas y las sensaciones que acompañan a cada situación. Hablé del placer, que a veces es desconocido, pero que es normal. Hablé de permitirnos sentir y de aceptar nuestras sensaciones, porque cada señal corporal es indicadora de que estamos vivas y de que somos normales. Hablé de que muchas veces ignoramos lo que le pasa a nuestro cuerpo y que es importante estar atentas y reconocer las señales. Así continué por un largo rato. Después callé. Luego le pedí que abriera los ojos. Ella continuó en silencio, pero tranquila. Sonrió. Había llegado el momento de terminar la sesión. Nos despedimos y se fue.

La interpretación que yo había hecho al principio era que G experimentaba excitación sexual, pero que ella no la reconocía. Su vida había transcurrido ajena al mundo de los afectos y de la sexualidad. Sus intereses iban encaminados al sacrificio, que se expresaban mediante el cuidado de su madre enferma. Cuando era joven, nunca tuvo la experiencia de tener un novio y el impulso sexual le era totalmente ajeno, porque en su casa no se habló jamás de ello y porque siempre fue muy devota de su religión, evangélica fundamentalista. Para ella, cualquier cuestión relacionada con el sexo era pecado. De manera que su vida pasó y pasó, insípida y silenciosa. Ahora, después de haber trabajado diversos aspectos de su vida y debido a un cuadro depresivo, se estaba abriendo a nuevas experiencias. Había llegado a verme, referida por su doctora de medicina general, a causa de sufrir una depresión clínica desde hacía algún tiempo.

Un día le pregunté por las sensaciones de humedad que me había reportado y me contestó que las sentía esporádicamente, pero que ahora entendía que tenían relación con "un deseo insatisfecho". Me sorprendió porque yo nunca le había hablado de ello. De manera tranquila dijo que se daba cuenta que la sexualidad era algo normal y que ella se la había negado durante muchos años. Luego siguió reflexionando sobre su vida, su soledad y sus temores. Cuando quise hablarle de la posibilidad de establecer una relación, cambió el tema. Me di cuenta, entonces, que aún no era tiempo. Cada paciente tiene su tiempo y es muy importante respetarlo. Insistir hubiese sido violentar el proceso. Así que ahí lo dejé. Ella había dado un paso en esa dirección; es posible que diera otros, pero sería una decisión de ella. Era su vida y yo tenía que verla con reverencia.

6
LA CAJITA DE LOS SECRETOS

Zumba la lluvia.
Yo susurro un secreto
para entrar allí.
Tomas Transtroemer

Estaba por cumplir cinco años. Era menuda y con unos grandes ojos negros, nublados por unas lágrimas que amenazaban con salir. Después de conversar un rato con ella, delante de sus padres, con cierta timidez aceptó entrar conmigo al cuarto de juegos. Revisó los juguetes, tomó unos trozos que pronto dejó, y luego se acercó a la casita de muñecas, pero se alejó, y por fin se decidió por unas barbies. En silencio inició un juego, inusual en las niñas, y sobre todo en aquellas en las que se sospecha abuso sexual. Sin embargo, esta pequeña, casi de entrada desarrolló un juego claramente sexual entre los muñecos.

L era la primera hija de un matrimonio joven, compuesto por dos maestros de escuela, originarios de un departamento del interior de la república que estudiaban en la universidad. La profesora de la niña les recomendó que buscaran ayuda porque su hija había cambiado de un tiempo para acá. Anteriormente era alegre y participativa en clase, pero ahora se mostraba distante y callada. La profesora tenía la sospecha de que la niña estaba siendo objeto de algún tipo de abuso. Se lo comunicó a sus padres quienes se mostraron incrédulos pero preocupados. Ellos también habían observado que la niña se irritaba fácilmente y hacía berrinches, se comía las uñas y se estaba orinado nuevamente en la cama, una condición que ya había superado.

Cuando conversé con ellos, me contaron que ambos trabajaban dando clases; ella solamente por la mañana, y él, todo el día. Por la tarde L y su hermanito pequeño estaban al cuidado de su madre. Solamente cuando ellos salían los fines de semana para ir a la universidad, los dos niños se quedaban al cuidado del abuelo paterno, en quien confiaban. Contaban también con la ayuda de una empleada doméstica.

Como señalé anteriormente, es sumamente raro que un niño o niña dé señales claras en una primera sesión de algo tan significativo como es el abuso sexual. Es por ello que comparto este relato. También quiero destacar la utilidad del juego diagnóstico. La terapia de juego, según el enfoque de Virginia Axline, se puede utilizar como medio de diagnóstico. Se trata de un juego no directivo que nos permite explorar los contenidos de la psique infantil. Se pone a disposición del niño o niña una serie de juguetes que faciliten la proyección, (mecanismo por medio del cual se coloca fuera de sí mismo, acciones, sentimientos y pensamientos). Entonces, la profesional interviene muy poco y, en todo caso, solamente se refleja para que sea la niña quien dirija la sesión y el proceso completo. El reflejo es una técnica que funciona como el espejo, se utiliza para mostrar sentimientos y conductas que se observan y, de esta manera, nos constituimos en una escucha activa y respondemos al sentimiento que está siendo expresado a través del juego. Ayuda a la niña a sentirse aceptada y comprendida sin asomo de crítica. Los contenidos que se van manifestando durante la sesión pueden expresar lo que le acontece al niño. En este caso en particular, al terminar la primera sesión, yo tenía la certeza de que L estaba siendo objeto de abuso sexual, porque el juego con las muñecas era totalmente explícito de una relación sexual entre adultos.

Durante la sesión, no expuse algún juicio de valor ni mucho menos hice alguna interpretación; solamente me dediqué a observar y, ocasionalmente, a reflejar el juego que estaba presenciando, sin indagar de manera directa acerca de lo que estaba atravesando la pequeña. Al terminar la sesión, hablé con los padres y les expuse lo que había observado en el cuarto de juegos: la casi certeza de que la niña era objeto de abuso sexual. Pude ver la preocupación en el rostro de ambos, y fue la mamá quien sospechó de su empleada doméstica y, con cierto temor, del abuelo. Esto último los puso en alerta, pero mostraron su decisión de investigar y aclarar lo que estaba sucediendo.

La exploración psicológica de las niñas y los niños que están siendo abusados por maltrato o por abuso sexual es sumamente delicada. Muchos factores están implícitos, puesto que las menores regularmente son objeto de amenazas por parte de los abusadores. Además de hacer uso de la seducción, los abusadores sexuales suelen tener amenazadas a sus víctimas para que no digan lo que está sucediendo. De esta forma la pequeña no solamente está siendo sometida a una experiencia que no corresponde a su edad, sino que, a su vez, carga el peso del secreto. Muchas personas que han sido abusadas conservan este peso por años y en algunos casos jamás lo revelan. Éste entra dentro de la nebulosa del pasado y busca su salida por las rendijas más inesperadas, como puede ser una desregulación emocional en la vida adulta –cambios en el estado de ánimo o respuestas emocionales inapropiadas–, alguna fobia específica, un estado depresivo constante o dificultades en la vida sexual.

En sesiones posteriores los juegos de índole sexual de L continuaban, pero ella seguía sin hablar directamente de lo que le había sucedido. No obstante, cuando, con mi orientación los padres interrogaron a la niña, su respuesta fue el llanto y una desorganización emocional. De ahí en adelante no quiso acercarse más al abuelo. Los padres tenían ya la certeza de que se trataba de él, por lo que inmediatamente lo separaron del grupo familiar e hicieron la denuncia en el Ministerio

Público. Asimismo, mostraron una actitud de comprensión y de cuidado hacia la niña. Le aseguraron que estaban ahí para protegerla. El dolor había tocado a la familia.

Los relatos verbales en los niños pequeños son muy raros, porque para el niño o la niña es difícil poner en palabras toda una experiencia, y el profesional de ninguna manera puede forzarlos. Después de varias sesiones de juego no directivo, L dio indicios de que tenía algo qué decir, pero no se atrevía, a pesar de que el abuelo había sido alejado del entorno familiar. Fue entonces cuando le hablé acerca del cuarto donde nos encontrábamos. Le dije que se trataba del cuarto de los secretos y, más aún, le hablé de una caja, de una pequeña caja en donde guardábamos los secretos que las chiquitas me confiaban. Le conté la historia de una niña que venía a verme y que me había contado lo que le pasaba, y que luego, juntas habíamos encerrado el secreto en la cajita. Me preguntó si esos secretos "no se salían" y le respondí que yo me aseguraba de que la cajita se mantuviera cerrada. Le dije también que ella iba a decidir cuándo sacar algo de la cajita para compartirlo con sus papás, por ejemplo. Con miedo, me dijo que cuando sus papás salían, "papá buelo" prendía la televisión y que juntos veían cosas feas. Las preguntas que hice fueron pocas. Fueron suficientes para entender que la niña había estado expuesta a ver relaciones sexuales entre adultos y pornografía, y que, además, su abuelo la tocaba de manera inapropiada. También la amenazaba para que no dijera nada. Aparentemente, hacía varios meses que esto venía sucediendo. Yo había orientado a los padres para que interrogaran a la niña. También para que la observaran y la protegieran de manera inmediata. Regularmente los padres entran en un estado de ansiedad al sospechar que algo grave está pasando e interrogan a la víctima o a los presuntos ofensores. Lo mismo sucede con los agentes del sistema jurídico. El abordaje psicológico, según mi experiencia, es pausado con el objetivo de no provocar más trauma en los niños. Y en muchas ocasiones el relato no se obtiene nunca; se concluye con base en los síntomas que evidencian los pequeños.

Las sesiones con L continuaron de acuerdo con el modelo mencionado. El modelo no directivo es sumamente eficaz para una variedad de casos. Conlleva toda una filosofía de la intervención psicológica y permite al niño o niña desplegar sus conflictos en el juego. Sin embargo, mis conocimientos acerca del trauma infantil me permitieron ver este caso desde esa perspectiva y abordarlo de manera directa con desensibilización y reprocesamiento mediante movimientos oculares (EMDR) con éxito. Este modelo permite reprocesar los recuerdos, aun sin que haya una elaboración verbal, porque la técnica se ha adecuado específicamente para los niños que han sufrido trauma.

La cajita de los secretos es una metáfora, y como tal, es ingenua pero es una herramienta eficaz. En este caso sirvió para descargar el secreto, aunque todavía quedaba mucho por trabajar. El daño estaba hecho: había dejado una herida profunda en la niña y en la familia; una herida que no cabe en una cajita imaginaria.

7
GUILLOTINAS Y JARDINES

Un día
Me paré a mirar
Desde la otra acera
La fachada cotidiana
De nuestra casa
Y atónita la vi
Con los ojos tuyos
Y parecía otra
Luz Méndez de la Vega

Durante la década de los años ochenta mis conocimientos acerca de la hipnosis eran los que había aprendido después de graduarme en la universidad, y correspondían al enfoque tradicional. Por eso la respuesta que obtuve en las sesiones de R me sorprendió enormemente.

Se trataba de una mujer de alrededor de 40 años, odontóloga, soltera e hija única. Me la refirió una colega suya. Cuando la vi por primera vez me relató dos hechos importantes: mantenía una relación espantosa con su madre y no había podido establecer una relación afectiva con ningún hombre. Su carácter agresivo la hacía entrar en conflicto con mucha facilidad y los novios se le alejaban rápidamente.

En las primeras sesiones exploramos acerca de su vida y entonces me contó que desde pequeña era iracunda, que se peleaba con los compañeros de clase y que, aunque era muy buena estudiante, tuvo muchos problemas en el colegio. Con frecuencia provocaba peleas, e incluso llegaba a los golpes. Una vez la retiraron del colegio porque mordió a un niño en el brazo y casi le arranca un pedazo.

En su casa las cosas no eran tan diferentes, puesto que su madre era una mujer violenta y su padre, según ella decía, era un pan de Dios, pero nagüilón porque se dejaba agredir por su madre. Él había muerto cuando ella estaba a punto de salir de la universidad. Este acontecimiento le resultó muy doloroso puesto que él era la única persona que le mostraba amor y a quien ella podía darle una sonrisa y dejarse querer. Así que cuando él murió, sufrió un duelo atormentado. Las relaciones con su madre eran caóticas, porque aunque no vivían juntas desde hacía algunos años, cuando hablaban, discutían y se faltaban el respeto. Me dijo que odiaba a su madre.

Cuando tenía 20 años tuvo un novio en la universidad a quien maltrataba: lo dejaba plantado, le decía groserías y, en ocasiones lo golpeaba con los puños.

Cuando estaban a punto de terminar la universidad, él la dejó y se fue del país, con una beca al extranjero. Ella justificó esta pérdida diciendo que realmente él no valía la pena porque, al igual que su padre, se dejaba agredir por una mujer. Así comenzó a establecer relaciones que duraban entre uno y tres meses. La situación, como yo la vi, era sumamente complicada, porque por un lado, ella ansiaba ser querida y establecer una relación permanente, pero por otro, hacía cualquier cosa para sabotear la relación. Después de la ruptura amorosa, tenía diferentes reacciones: a veces montaba en cólera; a veces se deprimía, y a veces, tomaba licor más de la cuenta. Este rasgo apareció de súbito: el consumo de alcohol, que según ella, era controlable. Decía que se trataba de un par de tragos diarios, que no intervenía en su desempeño laboral y que no molestaban a nadie.

Era una mujer morena, delgada y alta. El pelo le llegaba los hombros y se vestía con pantalones de algodón y blusas camiseras. A pesar de la sencillez, su atuendo era femenino e impecable. R lucía atractiva. Aparentemente no tenía problemas en su trabajo. Contaba con un buen número de clientes en su clínica particular, y ellos y sus asistentes la apreciaban. Tenía varias amigas con quienes salía, así como amigos con quienes era amigable, alegre y colaboradora. Pero una vez, la relación cambiaba de estatus y se establecía una relación amorosa, la situación se tornaba difícil al poco tiempo, la persona se alejaba sin mayores comentarios o se establecía una relación agresiva que terminaba pronto.

Por circunstancias de su profesión, R había recibido un curso de hipnosis y estaba muy interesada en la herramienta. Había comprado algunos libros y me pidió que trabajáramos con esta técnica. Para ese entonces, yo usaba la hipnosis tradicional ocasionalmente y estuve dispuesta a inducirla en un trance hipnótico. R resultó ser una persona muy fácil de hipnotizar, y para mi sorpresa, en esta primera experiencia, estando en un trance profundo, me relató lo siguiente: se encontraba en una ciudad muy antigua, con casas y edificios de piedra, y calles empedradas. Ella era una mujer que vestía un traje largo a la usanza de la edad media. Yo estaba sumamente sorprendida, porque nunca había tenido una experiencia como esta. Traté de calmar mi ansiedad por medio de respiraciones y la saqué del trance. Ella estaba asombrada pero tranquila. Me relató algunos detalles de su visualización, que había experimentado de manera vívida, y me dijo que deseaba seguir explorando en esa línea; es decir, mediante regresiones a vidas pasadas.

Yo no tenía mayores conocimientos en regresiones a vidas pasadas ni mucho menos un criterio establecido al respecto. Traté de leer lo que estaba a mi alcance y de consultar con algunos profesionales que habían tenido experiencias similares. Puedo decir que no obtuve una respuesta que me satisficiera. Muchos años después, leí los libros de Brian Weiss y me formé un criterio un poco más firme. Pero a la semana siguiente, cuando la paciente llegó de nuevo, a mí se me había despertado la curiosidad, y aunque yo no creyera en vidas pasadas, sabía que lo que la paciente trabajara tendría sentido para ella, y que yo era capaz de manejar un estado de trance, por lo que me sentí confiada.

Esa mañana R se dispuso a entrar en un trance hipnótico rápidamente. Ahora me relató un escenario similar al de la semana anterior. Se encontraba en un castillo medieval y ella era una dama de la corte. Se veía a sí misma con cierto poder, porque sentía que ocupaba un puesto importante, sin que pudiera precisarlo. Me describió su atuendo y el de quienes la acompañaban, así como el ambiente hostil y de miedo que se percibía en el lugar. Estaba rodeada de muchos hombres. Al llegar a este punto, la escena fue muy clara y se vio parada frente a una ventana que daba a la plaza del pueblo y en donde tenía lugar una ejecución de varios hombres que serían guillotinados. Pudo experimentar como ella se sentía complacida ante la muerte de los hombres. Veía como rodaban sus cabezas y la sangre se regaba por la plaza. Aunque la escena era grotesca, ella se regocijaba al observar el castigo que ellos recibían. Después de explorar un poco más la escena la invité a salir del trance. Una vez en estado de alerta, hizo un análisis y una interpretación de lo que había experimentado. Dijo que creía firmemente que ella, en otra vida, había sido protagonista y autora de la muerte de muchos hombres. En este punto se mostró sumamente conmocionada y lloró mucho. Por primera vez, lloró.

Yo estaba asombrada, no sabía qué creer al respecto, pero decidí continuar trabajando de acuerdo con la experiencia de la paciente y tomar su relato como una metáfora. De esta forma, en la siguiente sesión dirigí un trance sugiriéndole una transformación de la metáfora de la guillotina: le dije que hiciera un entierro de los hombres ejecutados, uno por uno, que se despidiera de ellos y que les pidiera perdón por lo que hubiera tenido que ver en su ejecución; luego le pedí que hiciera cambios, que su mente diera otra perspectiva de lo que había sucedido durante el trance. Para mi sorpresa, relató que sobre los sepulcros ella estaba plantando flores y que pronto ese lugar se convertiría en un jardín. Entonces hice un relato de cómo se cuida un jardín, de cómo las plantas necesitan de cuidado amoroso para que florezcan y den frutos. Durante este trance lloraba y mostraba señales gestuales de la transformación de su experiencia.

Al salir del trance hipnótico, R estaba sumamente conmovida y le encontró sentido al problema de su relación con los hombres, por lo que la metáfora de la siembra de flores resultaba para ella enormemente generadora de transformación. En las siguientes sesiones, R analizó las relaciones que establecía, y no pidió ni yo sugerí nuevamente la hipnosis. Sin embargo, tuvimos a lo largo del proceso en el que empleamos técnicas diversas, como el psicodrama de manera individual y ejercicios gestálticos. Este tipo de técnicas favorecen un estado de atención elevada, normalmente enfocada hacia el interior de la persona y el descenso de mecanismos defensivos, por lo que se puede tener acceso a recursos inconscientes de manera más fácil. La persona suele hacer sus propias interpretaciones y fácilmente "cae en la cuenta" de sus procesos psicológicos. R fue muy constante y mantuvo el compromiso de su terapia.

Continuamos trabajando por más o menos dos años, en los que R hizo avances significativos en sus relaciones con los hombres. Yo aludía, ocasionalmente, a la metáfora del florecimiento del jardín que ella había plantado, que, en mi opinión, fue fundamental en el cambio profundo su personalidad. No fue fácil para ella, hubo momentos de intenso sufrimiento. La pérdida del padre y lidiar con la cólera permanente de la madre requirieron mucho esfuerzo. Pero también ella volvía a su experiencia con la guillotina y se sumía en tristeza. Tristeza profunda.

Diez años más tarde, en la década de los noventa entré en contacto con la hipnosis moderna, establecida por Milton Erickson. Fue entonces cuando pude entender mucho mejor este caso. Me di cuenta que mucho de lo que en aquel entonces trabajé con R eran trances conversacionales, es decir, que utilizaba la palabra para inducir un estado en que el mensaje se potenciaba porque ella utilizaba el hemisferio derecho de su cerebro para imaginar y crear metáforas. La metáfora es una representación simbólica y totalizadora de un problema o de una situación. Al ser representación simbólica, corresponde, al igual que los símbolos, al lenguaje del hemisferio derecho. Las metáforas se basan en experiencias universales porque pertenecen a la naturaleza y a la vida cotidiana o emergen del inconsciente de manera particular. La metáfora de la guillotina es bastante universal y podríamos decir que obvia. Lo importante es que para la paciente significaba la agresión hacia los hombres, tanto como la castración y anulación de su existencia. El uso de metáforas –parte del modelo ericksoniano– permite trasmitir conocimientos, introducir cambios, movilizar procesos, facilitar el *insight* y construir una realidad diferente. La metáfora de la guillotina, así como la del jardín, no fueron inducidas por mí sino propuestas por R, pero sí las utilicé para facilitar el proceso, algo que definitivamente potenció la comunicación, porque se trataba de sus metáforas no de las mías. Cada persona es única y crea sus propias metáforas. El terapeuta se une a ellas, se mueve con ellas y las guía. El paciente tiene dentro de sí su propio sistema de capacidades para resolver el problema; él hace todo el trabajo. Según Milton Erickson, considerar las causas externas es irrelevante, por lo que su modelo no es histórico en el sentido de la búsqueda de las causas que generaron la patología. Él insiste en trabajar a nivel del material inconsciente. De manera que en este proceso el trabajo a nivel de análisis de los pensamientos es escaso.

Los recursos técnicos en psicoterapia son múltiples. Su empleo depende de la situación particular, de la persona que nos consulta como terapeuta, de nuestra habilidad y de los objetivos que queremos alcanzar.

La vida de R no se convirtió en un jardín de rosas, pero encontró paz y su energía se dirigió a edificar placenteramente, porque es mejor plantar flores que cortar cabezas.

8
UN CUERPO COMPROMETIDO

> *Yo soy mi cuerpo*
> *territorio de agua*
> *(llanto, saliva, líquido amniótico,*
> *leche, sexo húmedo)*
> *anfitrión arbitrario de otros cuerpos*
> *útero elegido*
> *alevosía del amor y del placer.*
> Carolina Escobar Sarti

La mujer que tenía frente a mí aparentaba muchos más años. El peso de la vida se dejaba ver en su rostro, cansado y con mirada apagada, y en la postura de su cuerpo, delgado y ligeramente encorvado. Sabía por el médico que me la había referido que era casada y que tenía 44 años. Sin embargo, aparentaba estar en la quinta década de la vida.

El Dr. K. me había dicho que R se enfermaba constantemente, que él la veía desde hacía un poco más de 10 años y que sus constantes quejas somáticas no tenían explicación física que ameritara un diagnóstico médico específico. No correspondían a un esquema de enfermedad conocida. Sus quejas y síntomas eran constantes y variaban de un día para el otro, o bien, cambiaban en el mismo día.

D empezó su relato diciéndome que consideraba que su médico era desconsiderado, porque ella realmente se sentía mal, y que de ninguna manera inventaba su enfermedad. Me dijo varias veces que sus dolencias no estaban en su mente y que era cierto que vivía enferma. Ante esta postura, le respondí que en primer lugar, estaba de acuerdo con ella en cuanto a que su enfermedad era real y que lo que a veces pasaba era que el estado emocional puede afectar la condición física. Fui muy cauta, porque en estos casos no conviene que la paciente perciba que no la entienden o que no le creen; para los pacientes la enfermedad es real, y es real porque lo que sucede es que su área emocional está afectando su estado físico. Esta condición, que los especialistas suelen llamar "psicofisiológica" o "psicosomática" y, más profesionalmente, "aspectos psicológicos que afectan el estado físico", son difíciles de explicar. Los pacientes suelen reaccionar como lo hizo D, rechazando la postura de su médico y alegando que no los entienden. Suelen decir que no están locos y que no necesitan tratamiento psicológico. Sin embargo, ella empleó suficiente tiempo para describir con detalle que desde hacía muchos años, casi desde la adolescencia, padecía de dolor de cabeza, le dolía el estómago y los músculos de las piernas y de la espalda. También padecía de colon irritable; algunos días amanecía con náusea y distensión abdominal y afirmó que era intolerante a varios alimentos. A veces perdía la sensibilidad de las manos o tenía la sensación de que no oía bien; a veces tenía la sensación de ahogo o de que no podía tragar. Se había hecho muchos exámenes médicos y había acudido a varios especialistas sin un resultado positivo. Su sensación general era de cansancio, se sentía agotada. Algunas noches dormía muchas horas y otras, padecía de insomnio.

Al finalizar esa primera entrevista, ya sabía que se trataba de un trastorno de somatización, un cuadro en el que se presentan muchas quejas somáticas para las que no existe una explicación médica. Las personas consultan debido a constantes dolores y malestares que afectan todos los aspectos de su vida. Actualmente, se entiende la relación estrecha que existe entre la mente y el cuerpo; la comunidad científica da por sentado que el aspecto psicológico es esencial en la manifestación de los síntomas físicos. El trabajo con estos individuos requiere de mucha paciencia, porque no es fácil entender esta conexión y, como en el caso de D, pueden sentirse ofendidos al decirles que sus síntomas son psicológicos, lo cual no aceptarían porque sus molestias son realmente físicas. Cuando él o la terapeuta no usa las palabras adecuadas, la persona se siente ofendida y tiende a ponerse a la defensiva, en el mejor de los casos, porque lo usual es que no vuelvan a la consulta.

No fue el caso de D. En posteriores sesiones obtuve una historia muy interesante: se había criado únicamente con su madre porque su papá se había ido a Estados Unidos cuando ella tenía seis años y no regresó sino solo en pocas ocasiones. Me llamó la atención que el relato de este evento –el abandono de su padre– lo hizo de manera muy tranquila, es decir, carente de emoción. Dijo que no le había afectado mayor cosa porque, de verdad, su infancia había sido muy agradable. Su mamá fue una persona esforzada, aunque de mal carácter, y dedicada a sus tres hijos. Ella era la segunda y la única mujer. Me dijo también que tenía muchos años de no saber de su papá pero que no le importaba. Estaba casada y tenía dos hijos. No trabajaba fuera de la casa debido a sus múltiples enfermedades y decía que si alguien la empleaba, muy pronto la despediría por todos los permisos que solía pedir para ir al médico o para hacerse constantes exámenes de todo tipo.

A pesar de que D era una persona verbal, una condición indispensable para la psicoterapia, no contaba con la capacidad para hablar de sus emociones y mucho menos para conectar estas con sus diversos síntomas físicos. Las sesiones estaban colmadas de quejas de molestias físicas y de lamentaciones. Otras veces hablaba de asuntos triviales de la vida cotidiana, sin hacer ninguna relación entre los eventos y su condición psíquica o física. Así que el trabajo siguió un proceso lento. Según mi experiencia, pacientes como ella tienden a abandonar tempranamente el tratamiento, pero en el caso de D no fue así. Probablemente ella se sintió comprendida y no criticada, una situación también indispensable para la adhesión al tratamiento. Esto es lo que se llama alianza terapéutica. Como se dio en esta oportunidad, la alianza terapéutica se estableció pronto; no obstante los cambios en sí mismos tardaron mucho más. He encontrado que los casos en los que está comprometido el cuerpo son difíciles de abordar aunque se utilicen técnicas diversas, siguiendo un modelo integrativo. Inicié la terapia creando un ambiente de aceptación y respeto. Fui empática. Mostré calidez y mantuve el "acompasamiento" (una destreza recomendada por la programación neurolingüística) durante toda las sesiones. Más adelante empleé otras técnicas, pero sin perder la riqueza que un enfoque rogeriano (aceptación incondicional) proporciona al proceso. A veces pensaba en Freud cuando trataba magistralmente a sus pacientes histéricas. Él pensaba que las personas que tienen antecedentes de maltrato físico o abuso sexual son más propensas a padecer este trastorno. Sin embargo, no toda persona con una histeria clásica, según la terminología psicoanalítica, y que ahora llamamos trastorno por somatización, tiene una historia de abuso. D no reportaba haber sufrido abuso sexual.

Para el abordaje de este tipo de pacientes surgieron algunos modelos después de Freud, como la bioenergética, la biodanza, las terapias de energía y otra serie de técnicas que pretenden entrar directamente a movilizar los conflictos que se han quedado grabados en el cuerpo. Cuando empecé a ver a D usé el modelo integrativo, que toma en cuenta el componente histórico, es decir, la narrativa de la vida del paciente; indagué acerca de su vida y encontré datos muy interesantes. Ella estaba actualmente casada con un hombre muy devoto de la vida familiar y comprometido con ella; tenía dos hijos, uno de diez y otro de doce años. Su marido mostraba una auténtica preocupación por ella; la cuidaba desde que eran novios y le inquietaba mucho su estado de salud.

Durante varios meses tuvimos sesiones dos veces por semana en las que D poco a poco fue desarrollando la capacidad para lo que yo llamo "bucear dentro de ella misma e indagar sobre los movimientos internos de su psique". Al mismo tiempo, fueron surgiendo otros datos muy importantes. Por ejemplo, recordó que el día de su primera comunión su papá fue por ella a la casa para llevarla a tomarse una foto. Ella, con cierta desconfianza, se subió en la moto de su padre, pero en el camino empezó a sentir un enorme miedo de que él se la robaría y no podría regresar otra vez a su casa, porque su madre y su abuela siempre le advertían que tuviera cuidado: algún día él se la podría robar. Así que esa mañana soleada el viaje se convirtió en una auténtica pesadilla. Cuando finalmente llegaron al estudio fotográfico, ella estaba temblando y sus dientes castañeaban. Este evento lo recordaba solamente por la fotografía, que aún conservaba. En esta fotografía, podía verse imagen clara de una niña con un vestido blanco y corona de flores, tremendamente asustada. Traer del fondo de la memoria este suceso le permitió aceptar que en su infancia vivía con miedos. Esos miedos persistían en la actualidad. Sentía temor de salir a la calle, de manejar, de que los ladrones se entraran a su casa, de que llegaran vecinas a visitarla, por ejemplo, y así, una serie de miedos que cual enredadera de patio le impedían avanzar. En aquel tiempo D se sintió motivada a indagar más acerca de sus recuerdos de experiencias tempranas. Fue así como durante un período de ensueño vio una escena en la que su padre llegaba a la casa de su mamá, quien la tenía cargada. Ella tenía aproximadamente dos años. Podía escuchar los gritos de ambos, el llanto de su madre y las amenazas de él. Vivenció cómo un enorme palo venía directamente hacia ella. Pudo sentir la paralización de todos sus músculos y una sensación de profundo horror la invadió. Este recuerdo, surgido durante el ensueño y que, por supuesto, no era necesario constatar si había sucedido o no, fue materia para trabajar en varias sesiones. Me dijo que cuando salió del sopor sentía el corazón agitado y el cuerpo rígido: "Es difícil de explicar, pero mi cuerpo se movía y era como si tuviera convulsiones", me dijo. El adormecimiento no le permitía pensar pero sí sentir, lo cual resulta paradójico. "Era como si el tiempo hubiera retrocedido y estuviera viviendo eso en los brazos de mi mamá".

De aquí en adelante, el abordaje clínico fue diferente y mis ojos empezaron a ver a D como una sobreviviente de trauma temprano y no meramente como una paciente con un trastorno somatomorfo. Este cambio de concepción en el curso de un tratamiento resulta sumamente importante porque permite dirigirnos a otro puerto y a utilizar estrategias diferentes. Con frecuencia, una persona a quien tratamos no es consciente de eventos que hayan sucedido en etapas tempranas. Los síntomas de sucesos traumáticos pueden experimentarse a lo largo de la vida, muchos años después, sin que la persona encuentre una explicación lógica para ellos. A medida que los investigadores estudian las conexiones entre el cerebro y el cuerpo, hay más evidencia de que el bienestar emocional afecta la forma en la cual las personas perciben el dolor y otros síntomas. Ahora entendía que D sufría una disociación de carácter corporal que probablemente se instaló cuando era muy pequeña, a raíz de la experiencia tremendamente atemorizante de ser agredida por parte de su padre.

Trabajamos con el modelo de desensibilización y reprocesamiento mediante movimientos oculares (EMDR) para el abordaje de trauma, combinado con hipnosis clínica. Fue un trabajo como el de un minero que busca dentro de una mina las vetas de oro. El trabajo de excavación resultó conmovedor, porque a su vez se fueron viendo cambios en su conducta. Apliqué la hipnosis mediante trances ligeros; es decir, sin ningún ritual complicado. Se trabaja induciendo estados de relajación y se hace uso de la capacidad para imaginar que toda persona posee. Alrededor de un evento traumático, como el expuesto por D suele haber una serie de hechos que lastiman el desarrollo armónico de la persona. Uno de ellos fue el recuerdo de cuando su madre la castigó, encerrándola en el cuarto que servía de bodega en su casa. Ahí permaneció por varias horas. Aparentemente la madre se olvidó de ella. Al recordar este evento tenía reacciones corporales que evidenciaban terror.

Los cambios más significativos que se dieron en D fueron, precisamente, que sus síntomas físicos disminuyeron y que su vida se expandiera. D se había sentido reacia hacia la vida sexual. Ese era un problema presente pero del cual no se hablaba; primero, porque a ella le incomodaba, y segundo, porque su esposo era según ella, muy prudente y considerado, y prefería no hablar de su sexualidad, así que tampoco ella lo abordaba. Desde que tuvo a su último hijo, D accedía, de mala manera y muy de vez en cuando, a tener relaciones sexuales; sobre todo porque siempre se sentía enferma y, estando así, ella decía que lo último que quería era *exponerse* a acostarse con su marido.

Sin que trabajáramos de manera directa el aspecto sexual, este fue cambiando. Una mañana me sorprendió al contarme cómo ahora sentía cierta satisfacción y que le gustaba tener espacios para acariciarse con su esposo.

Yo contaba con experiencia en el manejo de estos casos, porque había trabajado durante buen número de años en un centro de asistencia en el que acudían trabajadores y trabajadoras que sufrían estrés laboral y cuyas condiciones de vida favorecían el aparecimiento de enfermedades relacionadas con el estrés. Solía trabajar con grupos de pacientes con migraña, trastornos gastrointestinales, hipertensión arterial y otras dolencias. Esta experiencia me dio un expertaje importante. También llevaba varios años utilizando EMDR, después de recibir varios entrenamientos, y además, me estaba especializando en hipnosis ericksoniana mediante un diplomado.

El trabajo de recuperación fue largo, porque implicó que D construyera herramientas psicológicas para enfrentar la vida, basadas en la conexión de la mente y el cuerpo. En ocasiones, apoyamos el trabajo con otras técnicas. En el caso de ella, asistió a clases de yoga y sesiones de baile. Es muy posible que esta unión del cuerpo y la mente se rompiera a temprana edad. La paralización ante un estresor que supera la capacidad de tolerancia es capaz de crear dos universos separados, y no se puede andar por el mundo con una psique sin cuerpo ni con un cuerpo sin alma. Al procesar diversos traumas tempranos, tales como la violencia que sufrió D por parte de su padre y el abandono y la frialdad que experimentó por parte de su abuela y de su madre, ella se fue recobrando a sí misma; recuperó la responsabilidad de cuidarse, de cuidar su cuerpo y de disfrutarlo; la integración de los dos universos por fin se dio. Habían pasado varios años desde la primera vez que la vi.

9
CULPA

Dejar pasar las lunas
disfrazada de gusano,
tomar el sol sobre las hojas
y lamer las cicatrices
hasta pernoctar en el capullo.
Silvia Pérez Cruz

Estaba realmente devastada cuando me habló por teléfono esa mañana. Eran apenas las ocho y unos momentos antes había recibido una llamada de un empleado de su esposo, quien le dijo que él estaba muerto, que había sufrido un infarto probablemente en la madrugada, y que al llegar los empleados, lo habían encontrado sin vida, tirado en el baño de su cuarto. Me expresó que en ese momento, su hija, con quien vivía, estaba con ella, pero que se sentía enloquecer y que la hija que le había pedido que me llamara.

Por teléfono hice una intervención en crisis. Se trata de un abordaje directo y directivo que se hace después de haber evaluado una serie de aspectos para establecer el riesgo en el que la persona se encuentra. Me di cuenta de que M estaba en *shock* como reacción inmediata a la noticia y que el pensamiento que la anegaba era: "Yo debería haber estado a su lado". Me cercioré de que la hija permaneciera con ella; pronto iba a llegar el otro hijo, quien se ocuparía de los asuntos relativos al funeral. Le dije que era conveniente que ella estuviera en la funeraria y la invité a expresar su pena sin restricciones. No rebatí la idea central de que ella debería haber estado junto a su esposo, puesto que en ese momento M no podía procesar este tipo de razonamientos. Hablé con la hija para evaluar la situación y su estado emocional. Ella estaba tranquila, aunque sorprendida por lo inesperado de la noticia. Le pedí que no se apartara de su mamá, que la dejaran llorar y le expliqué brevemente cómo yo creía que la madre se encontraba: sintiéndose culpable por haber abandonado a su marido seis meses antes. Inundada.

Yo la veía en mi oficina desde hacía seis meses. La hija de M había insistido para que viniera a consultarme. En esa ocasión se encontraba muy deprimida y confundida por la decisión que había tomado: dejar a su esposo e irse a vivir con su hija. Me contó que sus dos hijos le habían puesto un ultimátum: dejaba a su marido (el padre de ellos) o no la buscarían más. Ella aceptó salirse de la casa ese día, especialmente porque se encontraba desesperada por la situación de abuso que vivía. Su marido le había dicho: "Te vas de esta casa o tu cadáver va a aparecer un día de estos en cualquier cuneta". Una pistola sobre la mesa reforzaba sus palabras. A pesar de que era la primera vez que él la amenazaba de muerte, ella se asustó mucho y llamó a sus hijos. Ellos estaban enterados de todos los vejámenes que M sufría y especialmente el hijo no se explicaba cómo su madre aún permanecía junto a su padre. Decía que ella era masoquista y que mejor él ya no se involucraría en el asunto, porque su madre no "entendía". La hija, una profesional exitosa, se había ido dos años antes a vivir sola e insistía en que su mamá también saliera de la casa. Fueron meses de lucha, de ruegos y de convencimientos. Pero no fue sino hasta el momento en que M vio la pistola sobre la mesa de la sala y escuchó la amenaza de su marido que aceptó dejar el hogar. Sin embargo, a los pocos días se sentía arrepentida y culpable porque se enteró, por medio de los empleados, que su esposo tenía varios días de tomar y que estaba abandonándose, sin comer y sin trabajar.

Mi respuesta ante esta narrativa inicial fue de empatía y reflejé el dilema en el que se encontraba: ella debía estar al lado de su marido, pero a su vez temía que él la matara y aceptaba que sus hijos tenían razón al no querer que volviera. Le pedí que no tomara ninguna decisión en ese momento y que nos diéramos seis sesiones antes de decidir si volvía a la casa con su marido. En ese momento, también evalué los potenciales riegos de M, dada la depresión que presentaba. No evidenció riesgos suicidas, pero si otra serie de síntomas depresivos que, según entendí, venían de muchos años atrás. Tomé la decisión de hacer una interconsulta con una psiquiatra para que evaluara la situación y considerara prescribirle un medicamento antidepresivo, el que efectivamente recomendó. Me preocupaba que M se quedara sola en el departamento de su hija, ya que esta trabajaba todo el día y volvía hasta por la noche. Tuvimos una conversación con M y su hija para evaluar la situación. La hija tuvo la idea de que su mamá pasara el día en la casa de su otro hijo para ayudar en las tareas del hogar y cuidar a los dos nietos. Al volver del trabajo, ella la recogería para dormir juntas. Los fines de semana serían alternos entre los hijos. La nuera, el hijo y M estuvieron de acuerdo. Fue un alivio.

En ocasiones como estas, tenemos que hacer intervenciones psicosociales y sopesar los factores de riesgo, así como todo aquello que favorezca la recuperación de la persona. Ya pasaron los tiempos en que el terapeuta permanecía sentado detrás del paciente, esperando a que encontrara la razón de su malestar. Aunque la tradición psicoanalítica conserva vigencia, en países como el nuestro se utilizan modelos de tratamiento activos e integrativos.

Entonces, empezamos a trabajar. A esas alturas ya sabía bastante acerca del tratamiento de mujeres víctimas de violencia en el hogar. Me había especializado en la terapia con enfoque de género, mediante diplomados y cursos; había leído mucho al respecto y había adquirido la perspectiva de género dentro de la psicología. A finales de los años ochenta del siglo pasado se empezó a hablar de género, y en los congresos, algunos colegas de otros países reflexionaban acerca de la importancia de tomar en cuenta estos enfoques sociopolíticos para abordar, desde la clínica, a mujeres que sufrían maltrato doméstico. La asunción de este enfoque nos permitió entender la problemática y saber cuáles eran las metas de abordaje. Desechamos toda idea que tuviera que ver con expresiones cargadas de prejuicios, como "¿por qué no lo deja?", "a las mujeres les gusta que las maltraten" o "es que tiene baja la autoestima" e ideas por el estilo. Entendí que son mitos creados alrededor de la mujer y que la situación es mucho más compleja.

Con esta perspectiva en mente, comencé a trabajar con M. Me di cuenta de que venía de una familia numerosa, tradicional, en donde la violencia también era constante. Los gritos y las palabras soeces eran parte de la cotidianidad. Así que para ella no fue una novedad cuando empezaron los primeros insultos y luego los golpes en su matrimonio. Se casó a los 28 años y ahora tenía 30 de casada. Su estructura mental se caracterizaba por tener dificultad para tomar decisiones. Solía consultar cualquier decisión, primero con su madre y sus hermanas, y ahora, con sus hijos. Cuando era joven y soltera trabajó como contadora en un almacén de ropa, pero al casarse con R, un mecánico que prometía prosperar, dejó de hacerlo porque él le dijo que su lugar era la casa y que le ayudaría más si se ocupaba de que todo estuviera bien en el hogar. Así lo hizo. Cocinaba y hacía todas las labores domésticas. Crió a sus hijos y se encerró. Primero, porque tenía la idea inculcada por su madre de que las amigas no eran buenas, y segundo, porque a su marido no le gustaba que saliera. Él era muy celoso, y con el tiempo, este rasgo se incrementó. Resultó que R bebía, bebía mucho, cada vez más y al beber aumentaba la violencia. M recordaba con dolor que cuando resultó embarazada por tercera vez, su marido la pateó y perdió a su bebé. Pero la violencia no era solamente hacia ella, también sus hijos sufrieron, especialmente el hijo hombre. M relataba que él fue un niño muy inquieto, que le gustaba andar por las vecindades y jugar futbol en las canchas cercanas, pero el padre no aprobaba que saliera, y en una ocasión, amarró al niño a un árbol del patio de la casa, juntó tuzas debajo de sus pies y les prendió fuego. Este castigo era para que entendiera que no debía andar por la calle perdiendo el tiempo con la pelota. Así me enteré de muchos episodios a cual más perturbadores.

De particular importancia me parecieron las constantes escenas de celos. El alcohol y los celos estaban irremediablemente unidos. La acusaba de tener amantes, la llamaba puta y la celaba con quien se pusiera enfrente. Me contó que en una ocasión tocó a su puerta el hijo de una vecina para pedirle ayuda con el remiendo de un pantalón. La madre de este joven acababa de morir. Ella le prestó ayuda, pero luego tuvo que soportar insultos y acusaciones de su marido. Él decía que ella era amante del joven, que podría ser su hijo. R, el esposo, le fue infiel muchas veces. Ella se enteraba y, aunque sentía deseos de reclamarle, no lo hacía porque el miedo era más poderoso.

¿Por qué no dejó antes a su marido? Nunca se lo pregunté. Esta pregunta no se formula. Mi conclusión fue que M tenía el mandato psicológico de permanecer al lado su marido y la seguridad de que el amor todo lo aguanta. Eso fue lo que aprendió de su madre, tías y abuelas. No encontraba ningún referente de una mujer distinta dentro de su constelación familiar. También tenía miedo, miedo de irse y miedo de quedarse. Una ambivalencia torturadora. Prevalecía en ella la idea de que no sabría cómo ganarse la vida y de que seguramente él no la ayudaría económicamente. Decía que no quería ser carga para ninguno de sus dos hijos. No sabía cómo caminar sola por el mundo.

La terapia con un enfoque de género busca, en primer lugar, entender a la víctima, pero a su vez, enseñarle por qué las mujeres respondemos de esa forma. Les compartimos los hallazgos, producto de la investigación, especialmente el ciclo de la violencia, esa dinámica en la que tanto el abusador como la víctima participan y perpetúan la conducta violenta, sea cual sea su nivel social o económico. Hablar de estos temas es una forma de psicoeducación, pero a su vez, es una forma de sensibilización. La mujer va rompiendo paradigmas sin ser criticada ni censurada por ser como es. El otro camino, imprescindible, es el empoderamiento; es decir, el descubrimiento de sus fortalezas personales y el reconocimiento de su propio valor. La autoestima de la mujer tiene que ver con su autonomía personal, pero para conseguirla, el recorrido es largo.

Trabajamos durante seis meses, dos sesiones a la semana. Conforme M fue narrando la vida que había llevado durante 30 años, fue dándose cuenta de lo impropia e injusta que había sido su existencia; sin embargo, a su vez, se producían retrocesos y surgía de nuevo la culpa y el arrepentimiento. Esto reforzaba en la víctima la visión que los especialistas plantean: una persona que ha estado sujeta a semejantes niveles de estrés por tantos años es víctima de un trastorno de estrés postraumático, semejante al que sufre quien sobrevive a una catástrofe o ha estado confinado en un campo de concentración y se identifica con su agresor. M encontraba muchas formas de explicar la conducta de su marido y de disculparlo. Pero habían otros factores evidentes: las dificultades para dormir, la ansiedad casi constante que incluso le dificultaba desenvolverse en lo cotidiano, el ánimo deprimido y algunas enfermedades físicas como hipertensión arterial, cefalea y colon irritable. Los estragos a causa de lo que había vivido eran innegables.

La muerte repentina de su esposo devastó los avances terapéuticos, porque M se hundió en una profunda depresión y la culpa la abrumó. Cualquiera hubiera pensado que había llegado el momento de su liberación, pero no, no fue así. Recomenzamos.

10
UNA SOLA SESIÓN

La lechuza está paralizada, dice el
guardián.
Un día de duelo con aguacero es
demasiado, incluso para ella. Si esta
noche no ve la luna, no volverá a volar
nunca más.
Herta Müller

La voz sonaba afligida. Me pidió por teléfono una cita de manera urgente: ella y su marido querían hablar conmigo. La conocía de unos años antes, cuando la estuve atendiendo a causa de algunos problemas laborales por los que atravesó. Los recibí al día siguiente.

Él empezó diciéndome que estaban pasando por una situación muy difícil. Dio varias vueltas alrededor de los valores familiares y no llegaba al punto. Ella lloraba en silencio. Imaginé una serie de escenarios que pudieran ser los responsables de la catástrofe que creí que estaba sucediendo.

Después de varios minutos él me dijo finalmente que el día anterior, su hijo, de 29 años les había pedido hablar con ellos. Había llegado a la casa –vivía fuera–, les había dicho que era homosexual y que se los decía porque quería sentirse libre de compartir con la familia y su pareja. En este momento, el padre rompió a llorar. Las lágrimas habían estado siempre a punto de surgir. No era pertinente preguntar cómo se sentían, porque saltaba a la vista que estaban devastados. Pero sí pregunté qué pensaban, esto hizo que cediera un poco el llanto y ella procedió a relatar que se sentía confusa; por momentos se culpaba y se preguntaba qué había hecho mal. En otros momentos se decía que era la decisión de su hijo y que la tenía que respetar. Después de escuchar a su esposa, él empezó a contar la forma en que lo habían criado: había sido un niño querido, buen estudiante, cariñoso con ambos padres y no les había dado nunca ningún problema, y ahora que ya era un profesional, parecía que iba a tener una carrera brillante. No era posible que echara todo a perder. Habló también de las expectativas que tenía acerca de él, porque siendo el único hombre entre sus hijos, esperaba que continuara el apellido y fuera un padre ejemplar, porque era diferente al resto de sus amigos. Continuó relatando su pesar porque el muchacho se perdería la oportunidad de tener una familia, y él, unos nietos. ¡Era una desgracia! ¡Todo parecía tan diferente a como lo había pensado!

Cuando terminó de hablar y después de que ella había externado una serie de pensamientos más, les dije que consideraba evidente que eran unos excelentes padres; que pensaba que habían hecho una buena labor. En ese momento, él levantó la vista y aproveché para preguntarle directamente qué era lo que más quería para su hijo. De manera inmediata me respondió que lo que más quería era que fuera feliz. Entonces le pregunté qué era lo que su padre había querido para él, y también de manera inmediata me contestó que lo que su papá siempre había querido era que fuera un hombre de bien y feliz. Me dirigí nuevamente a él para preguntarle: ¿Y cómo lo logró? Entonces me contó cómo había conseguido estudiar y sacar una carrera profesional, a pesar de que su padre quería que estudiara en un colegio militar. Me dijo que se había casado sin que sus padres se enteraran...

—¿O sea que logró sus objetivos de manera diferente a cómo su padre habría querido?

—Sí —me respondió.

Guardamos silencio por un par de minutos y luego inicié un "discurso" acerca de las diferencias. Hablé de las diferencias que existen en la naturaleza; de las estaciones del año, del día y de la noche; de las diferencias en las culturas, los sexos y las preferencias en las comidas, y hasta nos reímos al señalar las diferencias entre él y su mujer. A pesar de estas diferencias, se habían casado sin decirlo a los padres de él y se "soportaban". Esa expresión la había utilizado él en algún momento de su exposición. Me dirigía a ambos, pero en algunos pasajes lo miraba a él directamente, bajaba la voz y a veces hablaba lento. En ningún momento me referí a su hijo, pero les pedí que cada día ella se fijara en las diferencias al amanecer y él en las diferencias al anochecer. Ambos lucían tranquilos y se habían tomado de la mano. Les pedí que nos viéramos en una semana.

Antes de la cita prevista ella me llamó para decirme que no vendrían; que estaban mucho más tranquilos, que su esposo le había dicho que el amor a su hijo estaba por encima de las diferencias, y que aunque no lo recibiría por ahora en la casa, lo haría más adelante. Ella se sentía también más tranquila, se había entrevistado con su hijo en una cafetería y le había expresado su amor. No sé qué pasó, me dijo, pero nos sirvió hablar con usted.

Puedo resumir esta estrategia en dos o tres aspectos fundamentales. En primer lugar, la escucha activa y el respeto a los sentimientos de ambos; luego, el empleo de la propia experiencia de vida del padre y, por último, la "utilización" combinada con un trance conversacional. Estas últimas dos estrategias son propuestas por Milton Erickson. La "utilización" es el empleo del lenguaje y del contexto del paciente para entrar en su mundo. Utilicé la palabra "diferente" para enfatizar la diferencia que él mismo había señalado entre ellos y su hijo, pero lo hice de manera indirecta –otra técnica ericksoniana–. Creé alrededor de la palabra "diferente" un discurso un poco largo y lleno de metáforas para llegar al hemisferio derecho de ambos y salirme de la lógica que hubiera tenido poco efecto. Esta conversación que suele llamarse trance conversacional es improvisada y surge a la medida de la persona. ¿Cómo se logra? Pues, he encontrado que sale a partir de mantener una constante sintonía con ella, acompasar su respiración y estar sumamente atenta a su discurso, tanto en la forma como en el contenido.

¿Por qué me dirigí primordialmente a él? Porque él era quien estaba más afectado por el tipo de pensamientos que exhibía. Contrariamente a lo que se puede pensar, en este caso puse la atención en el contenido de pensamiento y no en la expresión emocional. Los pensamientos son los que generan y sostienen las emociones, y al variar estos, cambia el estado emocional.

Una sola sesión es posible cuando se evalúan los recursos de la persona que consulta y se trabaja en un aspecto particular. Estas circunstancias dan lugar a trabajar con énfasis y determinación.

Un elemento más: confianza. Confianza en lo que hago y sobre todo confianza en el paciente. En este caso resultó.

11
ANSIEDAD, ANSIEDAD, ANSIEDAD

La muerte es la fuente primordial de la
ansiedad, y como tal, la fuente
primaria de la psicopatología.
Irvin D. Yalom

L era una paciente con varios síntomas de ansiedad y depresión. Sin embargo, prevalecía la ansiedad que se manifestaba a través de diversos temores, especialmente el de manejar en el tráfico.
En algunas ocasiones había tenido ataques de
pánico cuando estaba manejando y ahora se negaba a hacerlo. Dependía de sus hermanas, de sus
amigas y de sus padres para trasladarse por asuntos de trabajo o a cualquier lugar que quisiera ir.
Su vida se restringía cada vez más. De eso hacía
tres meses.

Era una mujer soltera de 34 años que trabajaba
desde su casa en asesorías para organizaciones no
gubernamentales. Había estudiado ciencias am-
bientales y al salir de la universidad empezó a

trabajar en proyectos relacionados con su profesión. Desde que apareció en ella el temor a manejar en el tráfico, trabajaba desde su casa; sus jefes estuvieron de acuerdo en que así lo hiciera. Tenía poca vida social. Los domingos salía con sus padres a casa de sus abuelos y siempre se las ingeniaba para evitar relacionarse con otras personas.

Desde pequeña había sido muy temerosa y su adolescencia se fue perfilando con una personalidad ansiosa. De niña había sufrido acoso de parte de sus compañeras de colegio a causa de que presentaba sobrepeso y porque usaba lentes. Por años le dijeron apodos como: "bola de cebo", "cocha", "negra" y cosas por el etilo. Contaba que desde el primer día que fue al colegio, lloró. Le suplicaba a su madre que no la llevara, pero ella no le hacía caso y la dejaba en la puerta del colegio, a pesar de que las maestras le informaban cada día que su hija había llorado toda la mañana. Fue un problema difícil de superar, me dijo desde el primer día.

Los padres de L tenían muchas expectativas en la formación de sus hijos y se sacrificaban para que ellos (dos hombres y dos mujeres) tuvieran la educación que ellos no tuvieron. De manera que en la actualidad los cuatro eran profesionales. A L le apasionaba la naturaleza y se mostraba realmente preocupada por el medio ambiente y el futuro del planeta.

Después de hacerle una entrevista completa, establecí que L sufría de un trastorno de ansiedad, porque si bien había sufrido algunos ataques de pánico y ahora se negaba a manejar, tenía diversos temores, como a hablar en público o a cometer errores en el trabajo, a salir con amigos y a subirse a elevadores. También decía que se preocupaba fácilmente y se sentía con una sensación constante de aprensión. Últimamente le costaba concentrarse en el trabajo (estaba pensando en dejarlo) y se le dificultaba conciliar el sueño. Establecer un diagnóstico clínico no ha sido mi objetivo primordial, sin embargo, admito que me parece importante dibujar un mapa que me indique el camino y la meta a seguir. Hubiera bastado que viera a L como una joven ansiosa y apreciara la dimensión de su problema. Me parece importante captar a la persona en su totalidad, porque ello le imprime un sello personal a la queja que presenta. El sello del "diagnóstico" puede encasillar y no me permite ver el bosque completo. No hay dos cuadros de ansiedad iguales. Cada persona vive de manera diferente su ansiedad.

L era una joven inteligente y le molestaba mucho sentirse incapaz de tener una vida social; también renegaba de su tendencia a ver las noticias y de estar al tanto de los asaltos, especialmente a mujeres. Sabía qué calles eran peligrosas y llevaba estadísticas de violencia. Le molestaba saberse así, pero no podía evitarlo, Era como si conociendo detalles de noticias, podría tener control sobre ellas. Sabía que invitar a L a abandonar el control iba ser un camino muy difícil, por eso decidí que ella misma decidiera sobre su terapia.

Cuando le pregunté qué deseaba resolver primero, me dijo que ella quería superar el temor a manejar un vehículo para así poder salir de su casa. Creía que si lograba esto se iba a sentir más tranquila en relación con los otros aspectos.

Opté por trabajar con un modelo específico para fobias que propone Giorgio Nardone, un psicólogo italiano que practica la terapia breve y estratégica. El modelo contiene un protocolo muy bien estructurado. Acá, la paciente tiene que efectuar una suerte de ensayos en relación con su fobia, de manera que se desensibiliza y supera su temor a determinada situación. L fue muy diligente y siguió las instrucciones que le di. Ella tenía el control. Poco a poco fue perdiendo el miedo, y a las pocas semanas efectuaba recorridos dentro de la ciudad, pero no fuera de ella; decía que no le importaba, porque ya se sentía más libre para desenvolverse.

Los pacientes que sufren fobias, regularmente tienen vergüenza de su síntoma y les apena lo irracional de la situación. También les preocupa que cada vez los temores se amplíen y restrinjan su vida cotidiana. L abandonó la terapia una vez se sintió mejor.

Como al año siguiente recibí una llamada de ella en la que me pedía ayuda nuevamente. Nos entrevistamos y me contó que, si bien no había vuelto a tener un ataque de pánico, ahora cuando estaba en una reunión de trabajo se sentía tensa y tenía varios síntomas somáticos: temores diversos, conciencia de los latidos de su corazón y sudor en las manos. Por supuesto, continuaba llevando las estadísticas de violencia y sintiéndose la mayoría de tiempo con una sensación de miedo que la perturbaba.

Una mañana me relató que desde hacía un par de días tenía la sensación de estar atrapada, como que estaba cubierta por una capa de espuma que la aprisionaba de la cabeza a los pies. Estuvimos hablando de esa sensación que la molestaba y entonces decidí hacer la siguiente intervención:

La invité a entrar en un estado de relajación mediante sugestiones que para ella tenían sentido, e induje una meditación más o menos con las siguientes palabras:

...Y ahora mira fuera de ti y visualiza esa capa de espuma que te rodea, fíjate cómo es... qué grosor tiene... qué consistencia... qué color... qué efecto produce en ti... para qué te sirve... qué función tiene. Despacio... examínala y pregúntate si realmente debe estar contigo, si aún la necesitas, porque en algún momento pudo haberte sido útil. Permite que tu mente te dé la respuesta... Ahora... deja que tu respiración empiece a cambiar esa capa de espuma y comience a modificarla. Yo no sé, pero sí sé que tu mente sabe cómo la va a modificar. Fíjate en los pequeños cambios que se empiezan a dar y que continúan... despacio... ¿Ves cómo se va modificando esa espuma?, tal vez se está encogiendo, o quizá se desintegra, o cambia de color o de consistencia... deja que tu respiración haga ese trabajo, esa modificación que es buena para ti, que es saludable... déjala ir, al ritmo de tu respiración...Y ahora, permite que tu respiración sustituya a esa molesta espuma... deja que algo que sea de mayor beneficio para ti ocupe el lugar en donde estuvo la espuma... ¿Te das cuenta cuán agradable se siente esto nuevo que ha ocupado el lugar de la espuma? Ahora sientes una nueva sensación... una nueva experiencia que te acompañará a lo largo de los días... de las horas... de los minutos... conforme respires...

Y así continué por un rato más. Al salir del trance, L estaba muy tranquila y me compartió solamente cómo había sustituido esa gruesa espuma, sucia y desagradable, por una suave espuma, acariciante y cálida. Debo decir que L era amante de la mar, como ella le decía. De niña, sus padres la llevaban junto con toda la familia a la playa y allí había disfrutado enormemente. Guardaba lindos recuerdos de esa época.

Aprendí a trabajar con este tipo de trances hace muchos años, cuando estudié programación neurolingüística, pero más tarde los refiné, por decirlo así, con el estudio de la hipnosis ericksoniana.

No analizamos la sesión ni el significado de la espuma. Simplemente se modificó a nivel inconsciente. En este tipo de intervenciones el análisis podría, incluso, entorpecer los resultados porque se está trabajando con el apoyo del hemisferio derecho del cerebro en el que se desarrollan funciones como la imaginación, la creatividad y la intuición, libres del razonamiento lógico.

Tuve algunas sesiones más con L en las que realizamos trances similares. Ella, por su parte, realizaba ejercicios de respiración y relajación. Entendió que desde muy pequeña había adoptado una postura que le indicaba que este mundo no es seguro y que debía estar alerta. Este estado de alerta continuo es ansiedad. La ansiedad hace que la persona se mantenga expectante, viendo hacia el futuro y esperando que suceda una catástrofe. Su carácter tímido, más las experiencias que había sufrido cuando niña, explicaban su constante zozobra.

Unos meses más tarde, cuando L se sentía mejor, un asunto vino a disparar nuevamente su ansiedad: a su papá le habían diagnosticado cáncer y el pronóstico no era bueno. Su mamá y sus hermanos estaban preocupados y habían empezado a hacer ese recorrido por médicos y curanderos en busca de una cura milagrosa. L empezó a sentirse permanentemente ansiosa y con dificultades para respirar: una sensación de ahogo. El colon se le irritó y le brotó una alergia en la espalda acerca de la cual el médico dijo que posiblemente tenía un componente emocional.

El proceso de L tomó otro rumbo. Recurrí entonces a una estrategia y enfoque diferentes: indagué sobre el sentido de la muerte. Aunque nunca me he especializado en terapia existencial, desde que leí por primera vez el libro del mismo nombre del doctor Irvin Yalom, entendí la importancia de trabajar con los temas fundamentales del ser humano: la muerte, la vida, la libertad y la soledad. Yalom plantea la íntima interrelación entre la vida y la muerte, pero también enseña la relación entre la ansiedad y la muerte. Los terapeutas solemos negar el temor a la muerte y muy frecuentemente no lo abordamos con nuestros pacientes porque nosotros mismos no podemos manejarlos. Rara vez, también, lo tratamos en nuestros respectivos procesos terapéuticos. De manera que no nos causa ninguna sorpresa que los pacientes se nieguen a hablar de estos temas. L no fue la excepción. Me dijo, en primera instancia, que tenía miedo de que su padre muriera. Lo dijo de manera plana, sin mostrar emoción. Trató de evadir el tema, pero me contó que en su casa la muerte era una cuestión tabú. En las siguientes sesiones continúe provocando para que L elaborara pensamientos acerca de la muerte; incluso, de su propia muerte. Me contó que cuando tenía ocho años, en una ocasión cuando estaba acostada en su cama, sola, viendo hacia el techo, empezó a pensar en la posibilidad de morir y fantaseó acerca de estar acostada dentro de la caja mortuoria. Veía a la familia que lloraba a su alrededor y se imaginó cómo su cuerpo se desintegraba; su cuerpo, su cara, su piel se desfiguraban, dejaba de existir. Dijo que en ese momento sintió terror y lloró, primero con horror y luego con un dolor intenso. Recordó que su madre entró a la habitación y al saber detalles le dijo: "Déjate de tonterías, nadie se está muriendo. Se mueren los viejitos, tú no". En su casa no se hablaba de la muerte. Y cuando alguien cercano se moría se escuchaban expresiones tales como: "¡Huy qué miedo! ¡No hablemos de la muerte!". Al narrar este recuerdo, su cuerpo se estremeció y volvió a experimentar el horror que sintió cuando tenía ocho años y se enfrentó por primera vez al pensamiento de la muerte, de su propia muerte. Era evidente que esa experiencia temprana dio como resultado la supresión consciente del tema de la muerte y la represión del miedo.

Como sabemos, el inconsciente, tal como el agua de un río, busca y encuentra el curso del material reprimido. Así puede desplazar ese miedo a situaciones, a veces irracionales, como lugares abiertos, cerrados, altos, o bien, situaciones particulares. La ansiedad constante estaba íntimamente relacionada con el horror a morir y cuando el padre se encontró próximo a fallecer se hizo evidente.

Cuando reflexiono acerca de este caso y de otros muchos en los que tuve que recurrir a diversas estrategias, venidas de tradiciones tan disímiles, como la terapia conductual y la existencial, o en que se ensayan distintos abordajes, pienso en mis maestros y especialmente en Irvin Yalom, Carl Rogers, Milton Frickson, Fritz Perls, Cloe Madanés y tantos otros, en su mayoría humanistas. He tomado de ellos algo o mucho, como cuando se toma una fruta de una fuente. Una escoge, busca en su caja de herramientas lo que posiblemente ayude a su paciente.

L mejoró. Meses después me escribió para contarme del fallecimiento de su padre. Estaba viviendo el duelo. Se sentía triste, pero sabía que era lo que le tocaba vivir. Una parte del mensaje decía: "Creo que no es justo que mi papá se haya ido tan pronto, tenía aún mucho por hacer. Me ha costado comprender la realidad de la vida... Y de la muerte. Estuve con él sus últimas semanas y aprendí mucho. Mi papá no sabía deprimirse, por lo que aunque entendía que el fin estaba cerca, se mantuvo sonriente y él me consoló a mí. ¡Imagínese! Lo vi en paz. Aceptó que su tiempo había terminado (¿Se acuerda que usted me dijo eso?). No sabrá de mí por algún tiempo, voy a trabajar a un bosque húmedo, ¡sola!".

Para entonces yo ya me sentía cómoda de hablar de la muerte. Había experimentado la partida de seres muy queridos y también había tenido la oportunidad de asistir a un taller en el que trabajamos nuestros temores de morir.

Suelo hablar acerca de la muerte durante procesos de terapia, así como del sentido de la vida, del sufrimiento, de la libertad o de la responsabilidad. Aprovecho circunstancias, muerte de seres queridos, aniversarios, enfermedades para indagar el sentido que estas verdades tienen para el paciente. L había entrado al reino de la certeza, la única certeza, y eso me alegró.

12
ELLA, YO, LA OTRA

*Una sola no basta para hacerle frente
a la vida.*

K.

Una mañana del mes de agosto, K, una atractiva joven de pelo largo y ojos avellanados, llegó a su cita conmigo. Empezó su relato contándome que el día anterior la habían llamado de una empresa para decirle que estaba contratada; el gerente estaba satisfecho con la entrevista que había tenido y que estaba contratada. K no recordaba haber asistido a ninguna entrevista, aunque sí sabía que estaba buscando empleo. Se sentía desconcertada.

Este incidente me hizo pensar que había algo que debíamos investigar. Llevaba varios meses trabajando y el suceso era una luz de alarma. K era una joven arquitecta de 30 años, tenía dos años de casada y aún no tenía hijos. Vino a la clínica por insistencia de su esposo y de su papá, porque les preocupaba los arranques de ira que le sobrevenían. En las primeras sesiones me habló de una "rabia inconsolable", aunque yo pensaba que se trataba de una "rabia incontrolable". Se trataba de desregulación emocional, una forma de reaccionar, propia de personas que sufren la secuela de trauma, que ha ocurrido regularmente en la infancia. Desde su adolescencia, K perdía los estribos y tenía muchas anécdotas al respecto. En una ocasión tuvo un novio, compañero de trabajo, y cuando se dio cuenta de que él tenía otra novia, que era la "oficial", tomó una filuda navaja y le destruyó las llantas de su carro porque, según dijo, era lo que él más apreciaba. En otra ocasión, viniendo de una fiesta a las dos de la mañana, se bajó del carro del novio porque se había peleado con él y, según relató, no quería lastimarlo y prefirió bajarse. En varias ocasiones estuvo a punto de chocar con el carro porque conducía bajo los efectos de una ira descomunal. Ella no tomaba licor, pero hacía escenas de cólera en fiestas familiares. Al día siguiente se sentía mal, pero explicaba sus reacciones, diciéndose: "Me pongo loca. Me loqueo". Algunas veces recordaba los incidentes y en otras ocasiones parecía que tenía agujeros en la memoria: no los recordaba del todo. Esto la perturbaba.

La historia de esta joven era muy particular. Era la única hija mujer. Tenía dos hermanos hombres. Siempre tuvo una buena relación con su papá, pero pésima con su madre. Su mamá también tenía accesos de ira y reaccionaba con violencia ante las travesuras normales de sus hijos. Desde el inicio, sospeché que había sufrido abuso sexual, pero ella no recordaba ningún hecho de esta naturaleza. Decía que no tenía memoria de nada anterior a los siete años, cuando entró al colegio. En su historia prevalecían recuerdos de maltrato físico y psicológico por parte de su madre. También establecimos que había sufrido negligencia, otra forma de maltrato.

El trabajo psicoterapéutico de K estaba enfocado en el trauma infantil que había sufrido, pero a partir de la sesión descrita en el inicio, empezamos, ella y yo, a buscar indicios de algo más: disociación, es decir, tendencia a olvidar partes o acontecimientos completos de hechos traumáticos o, inclusive, de situaciones cotidianas. Le apliqué un test para averiguar signos que nos orientaran. En la prueba evidenció que en ocasiones no recordaba algunos acontecimientos de su vida, que a veces tenía la sensación de no ser ella, y que otras, se sentía desorientada, especialmente cuando iba manejando, lo cual sugería la presencia de disociación. Sin embargo, había que investigar más.

K puso atención a eventos, que en apariencia no tenían importancia, como por ejemplo, que encontraba sus cosas de manera diferente a como las había dejado; a veces aparecían prendas de vestir que no recordaba haber comprado y que no era su estilo. Ella interpretaba estos incidentes como olvidos y se había etiquetado como "un desastre". Aunque yo le había explicado la posibilidad de que sufriera disociaciones, le parecía inaudito; me pidió que hablara con su esposo para obtener información de ella, porque "probablemente él sabe más de mí". "Yo ya ni sé quién soy".

Estaba muy asustada, pero no se explicaba como "había olvidado" la entrevista de trabajo por la que la contrataron.

Aparte de los accesos de ira, K parecía, a primera vista, no tener mayores problemas. Había sido una buena estudiante, tanto en el colegio como en la universidad, tenía algunos amigos con quienes salía muy de vez en cuando, y había tenido varios novios de quienes se había enamorado "perdidamente". A los 27 años conoció a quien ahora era su esposo. Él llenaba sus expectativas: "Era profesional y de buena familia".

Además, su esposo era un hombre tranquilo y con principios religiosos muy arraigados, y ahora, que los accesos de cólera se habían intensificado, estaba muy preocupado. Así que un día lo llamé. Respondió a mi llamada inmediatamente.

Cuando se presentó a mi oficina, corroboré la impresión que me había formado a través de ella. Era una persona muy agradable y con muchos deseos de salir adelante, pero sobre todo la quería, estaba enamorado.

Me dijo que se había enamorado de ella porque era una chica muy alegre, que parecía una niña y que a su vez era muy responsable en el trabajo. Que él la respetaba como profesional, pero que lo desconcertaba que "loqueara" cuando se enojaba. Sus accesos de cólera habían comenzado después del casamiento; cuando fueron novios no había habido ningún incidente que él recordara. En varias ocasiones, ella intentó pegarle y él tuvo que contenerla sujetándola por los brazos. Después de estos episodios, K lloraba y pedía perdón, "como una niña". Era, por otra parte, muy ordenada y llevaba la casa con mucha organización, a pesar de que él no le daba mucha importancia a ese aspecto.

—Tiene muchas facetas —me dijo—, y la mayoría son buenas.

El rompecabezas iba tomando forma. No obstante, era necesario buscar otra opinión, por lo que acudí a la psiquiatra con quien trabajaba los casos que ameritaban su intervención. Ella se reunió con K, la entrevistó y juntas continuamos la investigación.

Una mañana, durante una sesión terapéutica, K estaba relatando un problema serio que sus padres habían tenido y que hablaban de separarse. K se estrujaba las manos y se mostraba sumamente angustiada. En un momento se quedó quieta, mirando hacia abajo, y cuando levantó la vista, su mirada había cambiado, sonreía y empezó a hablarme como una niña. Me preguntó quién era yo y en dónde estaba. Yo le respondí con la mayor tranquilidad que pude. Después de unos minutos le pregunté con timidez quien era ella y me dijo que se llamaba Vivian y que tenía 6 años. Me pidió que jugáramos y al acercarle unos trozos inició un juego de construcción que acompañó con un canto infantil. No le quise hacer más preguntas, solamente observé y seguí el juego. Parecía una niña alegre y hábil para jugar con trozos de ensamble. Después de unos veinte minutos, me dijo que tenía sueño y me preguntó si podía acostarse en el sillón de la oficina, luego se durmió. Mientras ella dormía yo tomaba nota de todo lo sucedido.

Habían pasado unos 15 minutos cuando despertó siendo de nuevo K. Estaba asustada y le dolía la cabeza. Me dijo que se había "perdido" y que no recordaba qué había pasado, que era como si tuviera una laguna en la memoria y que esto ya le había sucedido anteriormente.

El trastorno disociativo de la identidad ha sido un diagnóstico controversial. Muchos profesionales niegan su existencia, pero muchos otros lo aceptan. Inclusive está incluido en el *Manual de diagnóstico y estadístico de las enfermedades mentales* (DSM-V). Después de haber discutido el caso con varios profesionales, llegamos a la conclusión de que se trataba de un trastorno disociativo de la identidad, que antes llevaba el nombre de personalidad múltiple.

Varios años de trabajo conjunto, investigación y estudio nos permitieron entender, primero, y luego abordar a la joven. ¿Por dónde se empieza? ¿Qué se hace? Fueron preguntas que nos sumergieron en el estudio del trastorno, que no es nuevo y que, inclusive, ha sido interpretado como "posesión demoníaca". Enriquecimiento, es la palabra que mejor describe la fortuna de encontrarme con casos como este. No puede decirse de otra manera. Cada sesión fue una experiencia importante para entender que había varias personalidades en K, que una es la que se hace cargo del funcionamiento general, (llamada la "huésped"), que las otras personalidades son "alternas" y que existe una barrera de memoria entre unas y otras. Sin embargo, algunas comparten memoria. En el caso de K, la primera personalidad no recordaba lo que hacía la segunda, pero la segunda guardaba toda la historia de vida de la primera. Supimos también que el proceso de integración sería largo y que se tendrían que utilizar técnicas diversas para dar a cada una su espacio, entenderla y hacer arreglos con ella. Cada una adquirió su nombre. Supimos que la "furiosa" cumplía la misión de "vengar" a la "huésped" que no precisamente era la que iba a trabajar. La huésped resultó ser la esposa que se desempeñaba con propiedad y era emocionalmente muy intensa. Encontramos dos niñas, una muy enojada por haber sido maltratada y una feliz. K se hacía cargo del funcionamiento de la casa y D, la que había encontrado empleo, era una trabajadora muy eficiente.

Los expertos dicen que este trastorno es consecuencia de un trauma continuado en la infancia; la mayor parte de las veces se trata de diferentes tipos de maltrato en los que prevalece el abuso sexual, especialmente acompañado de rituales. Durante el tiempo que K estuvo en psicoterapia no logró recordar escenas de crueldad en el trato de la madre. Leímos mucho. Explicaciones. Iluminaciones.

El sistema de personalidades suele ser complejo. Algunas veces, una quiere dominar a las otras o entran en contradicciones esenciales. La negociación suele resultar. Los subegos tienen necesidades propias y reclaman su tiempo. Uno de los objetivos es poner orden en el sistema y luchar con el escepticismo de la propia persona consultante. No fue el caso de K, quien aceptó rápidamente la situación y empezó a investigar en

Internet y a chatear en sitios a los que acudían personas con problemas similares. Pronto empezó a hacer chistes y el buen humor disipaba nuestra angustia. Un día me dijo:

—¿Sabe cuál es una ventaja de tener personalidad múltiple?

—No —le respondí.

—Pues que tenemos la posibilidad de dar varias veces una primera impresión.

Rió con desenfado.

Cerca de un año y medio después, K quedó embarazada. La acompañamos en su gestación. Luego se hizo cargo del cuidado de su bebé con mucha diligencia. Entendimos que había en ella una madre amorosa y responsable. "La vengativa" fue desapareciendo. No vimos a K durante algún tiempo. Siguió con su vida y asomándose de vez en cuando a mi oficina con alguna queja puntual. Habíamos recorrido juntas una larga jornada y nos había dejado un enorme legado: el aprendizaje.

CONTENIDO